Usborne
100 expériences scientifiques

Georgina Andrews et Kate Knighton

Maquette : Zoe Wray et Tom Lalonde

Maquettes des expériences : Katie Lovell

Maquette de la couverture :
Zoe Wray et George Bogdis

Illustrations : Stella Baggott

Photographies : Howard Allman

Rédaction : Jane Chisholm

Experts-conseil : Catherine Cooper et Liz Lander, coordonnatrice
des programmes de sciences, université de Roehampton

Pour l'édition française : Traduction : Muriel de Grey
Rédaction : Renée Chaspoul et Nick Stellmacher

Sommaire

Les liens Internet

Nous recommandons dans cet ouvrage de nombreux sites Web amusants qui présentent des expériences en ligne ainsi que des expériences à faire chez soi. Pour accéder à ces sites, connecte-toi au site Web Quicklinks d'Usborne à **www.usborne-quicklinks.com/fr** et clique sur le titre du livre.

Les liens Quicklinks d'Usborne

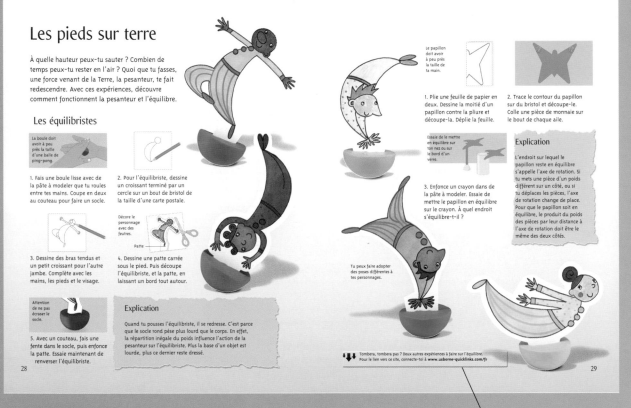

1. Cherche les liens Internet dans les encadrés tout le long du livre. Ils contiennent des descriptions des sites Web que tu peux consulter.

 Tombera, tombera pas ? Deux autres expériences à faire sur l'équilibre. Pour le lien vers ce site, connecte-toi à **www.usborne-quicklinks.com/fr**

2. Dans ton navigateur, tape l'adresse **www.usborne-quicklinks.com/fr** pour te connecter au site Quicklinks d'Usborne.

3. Sur le site Quicklinks, clique sur le titre de ce livre.

4. Dans la case « Entrez un numéro », entre le numéro de la page du site que tu veux consulter, puis clique sur le lien vers ce site.

Les sites recommandés sur Quicklinks sont régulièrement revus et mis à jour. Toutefois, il arrive de temps en temps que le site recherché ne soit pas disponible. C'est peut-être provisoire et il suffit de réessayer un peu plus tard ou même le lendemain. Les sites Web ferment parfois définitivement : quand cela se produit, nous les remplacerons par d'autres. Parfois, nous ajoutons d'autres liens qui nous paraissent intéressants. Sur le site Quicklinks, tu trouveras donc peut-être des liens légèrement différents de ceux mentionnés dans ce livre.

Sites Web à consulter

Voici des exemples des nombreuses activités proposées sur les sites Web recommandés dans ce livre :

- Voir une animation sur le cycle de l'eau
- Étudier d'étonnantes illusions d'optique
- Gonfler un ballon sans souffler dedans
- Fabriquer une manche à air et un cerf-volant
- Faire danser des raisins secs
- Fabriquer des instruments de météorologie
- Voir des modèles de véhicules à élastiques

La sécurité en ligne

Pour éviter tout danger, respecte ces règles simples :

- Demande à un adulte la permission de te connecter à Internet.

- Ne divulgue jamais d'informations personnelles te concernant, par exemple ton adresse e-mail, ton nom, ton adresse ou ton numéro de téléphone.

- Si un site te demande de donner ton nom ou ton adresse e-mail pour te connecter ou t'inscrire, demande d'abord la permission d'un adulte.

- Si tu reçois un e-mail d'une personne que tu ne connais pas, ne réponds pas et préviens une grande personne.

Adultes - les sites Web décrits dans ce livre sont régulièrement revus et mis à jour, mais il arrive que les sites changent et les Éditions Usborne déclinent toute responsabilité concernant tout site Web autre que le leur. Nous recommandons aux adultes d'encadrer les jeunes enfants lorsqu'ils utilisent Internet, de leur interdire l'accès aux forums de discussion (chat rooms) et d'installer un logiciel de filtrage Internet pour bloquer tout contenu indésirable. Pour plus d'informations sur la sécurité et Internet, consulter le site Quicklinks d'Usborne.

Besoin d'aide ?

Pour avoir des informations et de l'aide sur l'utilisation d'Internet, clique sur Besoin d'aide ? du site Quicklinks d'Usborne. Tu y trouveras des informations sur les « plug-ins », des petits logiciels gratuits qui permettent à ton navigateur de consulter les sites multimédias (vidéos, sons, animations). Si tu ne les possèdes pas déjà, tu pourras les télécharger gratuitement sur Besoin d'aide ? de Quicklinks. Cette section contient également des renseignements sur les virus informatiques et des conseils sur les logiciels antivirus que tu peux installer sur ton ordinateur pour le protéger.

Le matériel

Tu peux réaliser immédiatement les expériences scientifiques illustrées dans ce livre. La plupart d'entre elles ne nécessitent que des matériaux bon marché et simples que tu as sans doute déjà chez toi et dont la liste se trouve sur ces deux pages. Mieux vaut lire les instructions d'un bout à l'autre avant de commencer pour savoir de quoi tu as besoin.

Les fournitures de bureau

De nombreuses expériences nécessitent des fournitures de bureau ou de travail manuel du genre papier, feutres, crayons, stylos à bille, peinture, trombones, punaises, colle, ruban adhésif, perforateur, élastiques, ficelle, pâte adhésive, pâte à modeler, papier-calque, ballons et bristol.

Le matériel de cuisine

Pour certaines expériences, tu auras besoin d'ustensiles et de matériel de cuisine, par exemple un saladier ou des couverts. Il te faudra également du papier aluminium, du papier sulfurisé, des serviettes en papier, des piques à apéritif et du liquide vaisselle. Des ingrédients culinaires de base sont aussi parfois nécessaires.

Les objets de la maison

Certaines expériences nécessitent des meubles et d'autres objets de la maison, par exemple des chaises, un miroir ou une lampe. Un nécessaire de couture contenant du fil, de la laine, des épingles de sûreté et des aiguilles sera aussi utile. Pour d'autres expériences, il faudra une lampe de poche.

Le recyclage

Mets de côté quelques vieux récipients, que tu auras soin de laver auparavant. Les bocaux, les bouteilles (en verre et en plastique), les boîtes en plastique ou en carton sont aussi pratiques. En outre, tu auras besoin de vieux journaux, de boîtes à chaussures, de vieux collants et de sacs en plastique. N'achète ni carton ni plastique : les emballages réutilisables sont nombreux. Tu peux également collectionner les emballages de bonbon et le papier cadeau qui pourront te servir à décorer certains des objets que tu fabriqueras.

Le matériel spécial

Certaines fournitures sont plus difficiles à trouver. Nous indiquons où il est possible de se les procurer. Elles ne coûtent pas très cher.

L'énergie du soleil

Le soleil est la principale source de lumière et de chaleur sur la Terre. Voici des expériences à tenter par beau temps, en été. Tu feras cuire des aliments grâce à la chaleur du soleil et tu verras changer les ombres qu'il projette au cours de la journée.

Un four solaire

1. Tapisse l'intérieur d'un saladier de papier aluminium. Puis colle une boule de pâte adhésive au fond.

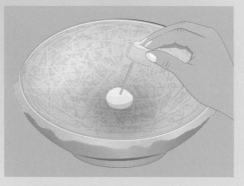

2. Embroche une guimauve sur une pique à apéritif. Enfonce l'autre bout de la pique dans la pâte adhésive.

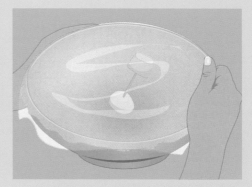

3. Couvre le saladier de film alimentaire. Place-le ensuite dehors, à un endroit bien ensoleillé.

4. En le maintenant avec des pierres, oriente le saladier face au soleil. Laisse-le ainsi 15 minutes environ.

Attention : la guimauve risque d'être bouillante !

5. La guimauve devrait commencer à fondre. Sinon, attends encore 15 minutes et vérifie.

Explication

Le film alimentaire transparent laisse passer la lumière du soleil dans le saladier, tout en retenant également sa chaleur. Le papier aluminium renvoie la lumière et la chaleur dans le récipient et sur la guimauve, ce qui la fait chauffer. L'air emprisonné chauffe de plus en plus et fait cuire la friandise.

Quelques autres expériences, un peu plus difficiles, sur l'éclairement solaire. Pour le lien vers ce site, connecte-toi à **www.usborne-quicklinks.com/fr**

Un cercle solaire

1. Avec une assiette, trace un cercle sur du bristol. Découpe-le. Peins-le et dessine dessus un soleil.

2. Colle au milieu une boule de pâte adhésive. Coupe une paille en deux et enfonce-la dans la pâte.

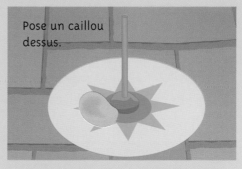

Pose un caillou dessus.

3. Mets le cercle dehors, à un endroit qui restera ensoleillé toute la journée.(Évite l'ombre des arbres ou des bâtiments.)

Ne déplace pas le cercle. Laisse-le exactement au même endroit.

4. Avec une règle, tire un trait à l'endroit où se trouve l'ombre de la paille. Vérifie l'heure qu'il est et indique-la sur le trait.

L'ombre va se déplacer au cours de la journée.

5. Toutes les heures, marque l'endroit où se trouve l'ombre. La longueur des traits reste-t-elle la même ?

Explication

Comme la Terre tourne sur elle-même dans la journée, le soleil semble se déplacer dans le ciel. Avant et après midi, les ombres s'allongent car le soleil est plus bas dans le ciel. À midi, il atteint son point le plus haut, le zénith, et projette l'ombre la plus courte.

Ce cercle fonctionne un peu comme les cadrans solaires, dont on se servait pour connaître l'heure avant l'invention de l'horloge, mais il n'est pas aussi précis. Pour obtenir l'heure exacte, il faut incliner la paille suivant un angle qui dépend de l'époque de l'année et de la partie du monde où l'on vit.

Ne regarde pas le soleil : il brûle les yeux.

Tu peux décorer le cercle de paillettes et d'étoiles.

Tu pourrais tester ton cercle solaire à différentes époques de l'année pour voir si la longueur des traits varie.

15 h   14 h   13 h   12 h midi   11 h   10 h   9 h

Effets de lumière

La lumière se déplace en lignes droites appelées rayons. Ceux-ci peuvent changer de direction s'ils sont renvoyés par un miroir ou de l'eau, par exemple. Dans ces deux pages, tu vas découvrir les effets surprenants de la lumière réfléchie.

Un kaléidoscope

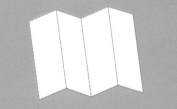

1. Prends une carte postale. Plie-la deux fois dans le sens de la largeur, comme sur le dessin. Ouvre-la.

Tu trouveras le plastique transparent dans certains emballages.

2. Procure-toi du plastique transparent raide. Découpe un rectangle de la même taille que la carte et pose-le dessus.

3. Avec des ciseaux et une règle, marque le plastique à l'endroit des pliures de la carte postale. Mets le plastique de côté.

4. Coupe un rectangle de papier aluminium de la même taille que la carte postale. Colle-le dessus en le lissant avec les doigts.

Papier aluminium et plastique sont à l'intérieur.

5. Pose le plastique sur le papier aluminium et replie la carte en un tube triangulaire. Scotche le quatrième rabat sur le premier.

6. Découpe un carré de papier-calque plus grand que le bout du tube. Dessine dessus avec des feutres.

7. Place le carré au bout du tube et regarde à l'autre bout. Oriente-le vers la lumière et déplace le morceau de papier.

Explication

La lumière brille dans le tube à travers le papier-calque décoré. Le papier aluminium réfléchit cette lumière. Chaque côté du tube renvoie la lumière reflétée par les autres côtés. Ces différents reflets produisent d'intéressants motifs de lumière colorée.

 Quelques expériences sur la réfraction et la réflexion de la lumière. Pour le lien vers ce site, connecte-toi à **www.usborne-quicklinks.com/fr**

Une fontaine de lumière

Agrandis le trou avec un stylo.

1. Avec une punaise, perce un trou à mi-hauteur d'une grande bouteille. Bouche le trou avec le doigt et remplis la bouteille d'eau.

L'effet est plus facile à observer dans le noir.

2. Pose la bouteille le trou face à l'évier. Allume une lampe de poche et éclaire la bouteille du côté opposé au trou. Ôte le doigt. Le jet d'eau qui sort s'éclaire.

Explication

On aurait pu s'attendre à ce que le rayon de lumière traverse la bouteille. Au contraire, la lumière est comme emprisonnée dans le jet d'eau. Elle est réfléchie par les côtés du jet et se courbe avec lui dans l'évier.

Une chambre noire

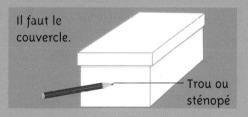

Il faut le couvercle.

Trou ou sténopé

1. Avec une punaise, perce un trou au milieu de l'un des côtés d'une boîte à chaussures. Passe un crayon dedans pour l'élargir.

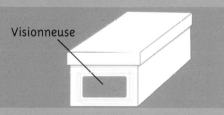

Visionneuse

2. Découpe un rectangle à l'autre bout de la boîte. Avec du ruban adhésif, fixe dessus du papier-calque.

3. Découpe un autre morceau de papier-calque assez grand pour couvrir le bout d'une lampe de poche.

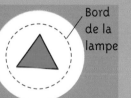

Le triangle est un peu plus petit que le bout de la lampe de poche.

Bord de la lampe

4. Dessine un triangle sur le papier. Avec un feutre, colorie le triangle en vert foncé ou en bleu et cerne-le de noir.

5. Fixe le triangle au bout de la torche avec du ruban adhésif. Allume la torche et pose-la sur une surface dans le noir.

L'image est floue.

6. Tiens-toi à environ 1 m de la lampe. Oriente le sténopé vers lumière et regarde par la visionneuse. Que vois-tu ?

Explication

La lumière passe par le sténopé et arrive jusqu'à la visionneuse. Les rayons de lumière du haut de la lampe de poche atterrissent sur le bas de la visionneuse et ceux du bas, sur le haut. Les rayons se croisent en passant par le sténopé : tu vois le triangle à l'envers.

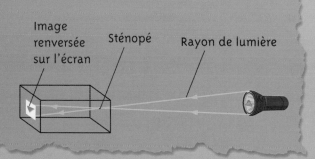

Image renversée sur l'écran

Sténopé

Rayon de lumière

Ombres et lumière

Les zones d'ombre sont des endroits où la lumière n'arrive pas. C'est le principe utilisé par le théâtre d'ombres. Avec des marionnettes, on projette de l'ombre sur un écran. Les spectateurs assis de l'autre côté de l'écran voient seulement les ombres.

Marionnette de singe

1. Pour l'écran, peins des troncs d'arbre sur les côtés d'une grande feuille de papier blanc avec de la peinture noire.

2. Ajoute au sommet des feuilles de palmier incurvées vers le bas. Décore le sol de fleurs et d'herbe.

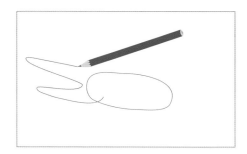

3. Pour faire une marionnette de crocodile, dessine un corps allongé sur du carton. Ajoute la mâchoire et la queue.

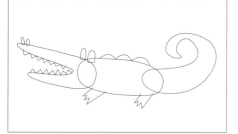

4. Dessine des bosses pour les yeux, les narines et l'épine dorsale. Complète avec des dents acérées et des pattes.

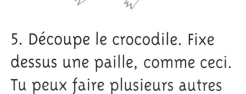

5. Découpe le crocodile. Fixe dessus une paille, comme ceci. Tu peux faire plusieurs autres marionnettes de la même façon.

Marionnette de serpent

La feuille doit toucher le sol.

6. Avec du ruban adhésif, fixe l'écran entre deux chaises, la face décorée orientée vers l'avant.

7. Plonge la pièce dans l'obscurité. Pose une lampe derrière les chaises. Fais-la briller sur l'écran.

Explication

La lumière traverse les surfaces nues de l'écran. Toutefois, la marionnette empêche la lumière de passer et projette une ombre sur l'écran. De l'autre côté, les spectateurs ne voient que les contours précis du décor et les ombres des marionnettes qui bougent.

L'ombre est projetée sur le papier.

8. Assieds-toi ou agenouille-toi sur la chaise (voir étape 9). Tiens la marionnette par la paille tout près de l'écran.

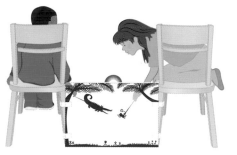

9. Bouge la marionnette pour la mettre en scène. Les spectateurs ne verront que son ombre sur l'écran.

Les spectateurs voient l'ombre de ce côté-ci.

Pourquoi l'air n'a-t-il pas d'ombre ? Question et réponse... Pour le savoir, connecte-toi à **www.usborne-quicklinks.com/fr**

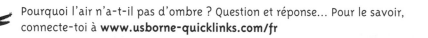

De toutes les couleurs

La lumière paraît blanche, mais elle se compose en fait de rouge, d'orange, de jaune, de vert, de bleu, d'indigo et de violet. L'eau des gouttes de pluie, en renvoyant la lumière du soleil, la divise en ces sept couleurs qui forment un arc-en-ciel. Tu vas en faire un et savoir pourquoi le ciel paraît bleu et le coucher de soleil rouge.

Un arc-en-ciel dans du vernis à ongles

Du papier arc-en-ciel

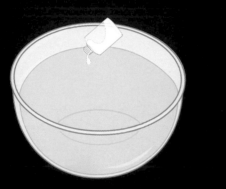

1. Remplis d'eau la moitié d'un grand bol. Verse une goutte de vernis à ongles transparent à la surface. Le vernis s'étale.

2. Trempe un petit morceau de papier noir dans l'eau, ressors-le et laisse sécher. En l'inclinant, tu vois des arcs-en-ciel.

Explication

Le vernis forme une couche mince sur l'eau. Quand il est transféré sur le papier et que l'on projette de la lumière dessus, celle-ci est réfléchie par les couches de vernis. Elle donne des reflets arc-en-ciel.

L'arc-en-ciel réfléchi

Place le miroir à un bout et cale-le avec un caillou pour l'empêcher de glisser.

1. Place un petit miroir dans un récipient rempli d'eau. Dirige le faisceau d'une lampe sur la partie submergée du miroir.

2. Tiens une feuille de papier un peu derrière la lampe. Déplace-la de manière à faire apparaître un arc-en-ciel sur le papier.

Explication

En passant dans l'eau, un rayon de lumière est dévié. Les différentes couleurs de la lumière dévient selon des angles différents, ce qui entraîne leur séparation, d'où la formation d'un arc-en-ciel. Le miroir reflète celui-ci sur le papier.

Tu trouveras ici un tas de questions (et leurs réponses) sur la lumière et les couleurs. Pour le lien vers ce site, connecte-toi à **www.usborne-quicklinks.com/fr**

Une étonnante toupie

1. À l'aide d'une grande tasse, trace un cercle sur un morceau de bristol blanc. Découpe-le avec soin.

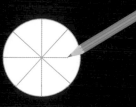

2. Avec une règle et un crayon, divise ton cercle comme sur l'illustration. Tu dois obtenir huit sections.

Les feutres donnent les meilleurs résultats.

3. Colorie une des sections en rouge, la suivante en vert, la troisième en bleu, et ainsi de suite jusqu'à les remplir toutes.

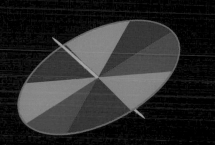

4. À l'aide d'une punaise, perce un trou au milieu du cercle et, dedans, enfonce à moitié une pique à apéritif.

5. Enfonce la pique dans une paille. De l'autre main, fais tourner le cercle aussi vite que possible. Que vois-tu ?

Explication

Quand la toupie tourne vite, tes yeux voient les trois couleurs en même temps. Le cerveau n'arrive pas à les séparer. Donc, il les combine pour former du blanc ou un blanc gris.

Coucher de soleil en bocal

1. Verse une demi-cuillerée à café de lait dans un bocal. Remplis-le d'eau : elle prend une teinte trouble blanchâtre.

2. Dans une pièce obscure, dirige le faisceau d'une lampe de poche allumée sur le bocal. Le mélange paraît bleu.

La lampe est derrière le bocal.

3. Fais maintenant passer la lampe derrière le bocal pour qu'elle brille dans ta direction. L'eau laiteuse paraît rouge.

Explication

Comme les particules de l'air qui composent le ciel, le lait fait dévier les couleurs de la lumière dans différentes directions. Cela influence les couleurs que nous voyons et c'est pour cela que le ciel nous paraît parfois bleu, parfois rouge. Lorsque la lumière traverse le côté du bocal, nous voyons le bleu, la couleur qui a le plus tendance à être dispersée. Quand on place la lampe derrière le bocal, au contraire, on voit le rouge, la couleur qui n'a pas été autant diffusée. La même chose se produit dans un coucher de soleil.

Dans un film, les images forment une longue bande, ce qui permet de les faire passer vite par le projecteur.

Des visions

Au cinéma, on a l'impression de voir une image unique qui bouge pendant longtemps. En fait, c'est une succession de photos qui sont toutes légèrement différentes de la précédente. Les yeux et le cerveau les interprètent comme une image en mouvement. Ces deux expériences produisent le même effet.

Un folioscope

On distingue la première image à travers la page.

1. Sur un calepin aux feuilles assez minces pour pouvoir calquer, dessine un garçon en bâtonnets à la dernière page.

2. Sur l'avant-dernière page, calque la silhouette en changeant très légèrement la position d'un bras ou d'une jambe.

Ce garçon donne un coup de pied.

3. Continue ainsi, en faisant un léger changement à chaque page comme si le garçon avait un peu bougé.

4. Fais au moins 20 dessins. Puis feuillette rapidement le calepin d'arrière en avant. Le garçon donne l'impression de bouger.

Explication

Quand tu feuillettes les pages, tes yeux et ton cerveau essaient de fondre les images les unes dans les autres et le garçon semble bouger. Ainsi, dans un film, on fait défiler 24 images par seconde afin de donner véritablement une impression de mouvement.

En cage

La cage doit être plus grande que l'oiseau.

Utilise un perforateur pour faire les trous.

1. Sur un morceau de bristol, dessine deux cercles en traçant la base d'une grande tasse. Découpe-les.

2. Dessine un oiseau sur l'un des cercles et une cage sur l'autre. Mets la cage à l'envers. Colle les deux cercles dos à dos.

3. Perce deux trous de chaque côté de la cage. Puis coupe deux bouts de ficelle mince ou de laine de la longueur de ton bras.

Fais tourner le cercle jusqu'à ce que toute la ficelle soit tortillée.

4. Enfile une des ficelles dans les trous d'un côté, comme ceci. Attache les deux bouts. Répète l'opération de l'autre côté.

5. En tenant les nœuds pour laisser pendre le cercle, fais-le tourner plusieurs fois de sorte que la ficelle soit bien tortillée.

6. Maintenant, des deux mains, tire sur les ficelles. Le cercle se met à tourner très vite sur lui-même. Que vois-tu apparaître ?

Explication

Quand le cercle tourne sur lui-même, tes yeux voient les images l'une après l'autre. La vitesse à laquelle elles se succèdent empêche ton cerveau de les séparer. Elles fusionnent pour n'en former qu'une. Tu vois alors une seule image : l'oiseau enfermé dans la cage.

La persistance rétinienne, grâce à laquelle on crée l'illusion du mouvement. Pour le lien vers ce site, connecte-toi à **www.usborne-quicklinks.com/fr**

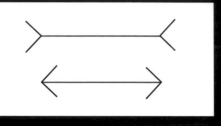

Illusions d'optique

Le cerveau interprète les informations que transmettent tes yeux : il les organise pour en tirer des conclusions. En général on ne le remarque pas. Mais les illusions d'optique comme celles illustrées sur ces deux pages trompent les yeux et le cerveau, et produisent des effets curieux.

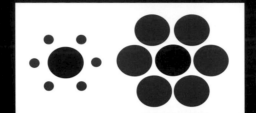

1. À ton avis, quelle est la plus longue de ces deux lignes rouges ? Vérifie avec une règle pour voir si tu as raison.

2. Et quel est le plus grand de ces deux cercles noirs ? Mesure-les pour savoir si tu as raison.

Explication

Les lignes rouges sont de la même longueur et les cercles noirs de la même taille. Mais les lignes et les cercles qui les entourent font croire au cerveau qu'ils sont de tailles différentes.

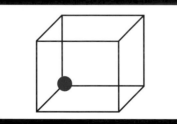

1. Le point rouge est-il à l'avant ou à l'arrière de la boîte ? Peux-tu le faire changer de place en le fixant pendant longtemps ?

2. Regarde l'illustration ci-dessus. Est-ce que tu vois deux personnes face à face, ou un beau vase ?

3. Et ici, y a-t-il quatre flèches blanches indiquant le milieu du carré ou quatre flèches noires indiquant ses angles ?

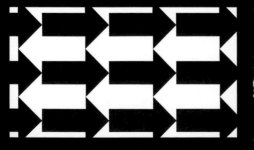

Explication

Dans toutes les images de cette page, le cerveau bascule d'une interprétation à l'autre. Comme elles ne présentent ni ombres ni détails, le cerveau a du mal à décider quelle est la bonne interprétation.

4. Dans quel sens les flèches sont-elles orientées ? Vois-tu des flèches blanches indiquant la gauche, ou des noires la droite ?

Plus de 120 illusions d'optique étonnantes, avec des explications. Pour le lien vers ce site, connecte-toi à **www.usborne-quicklinks.com/fr**

Des formes fantomatiques

1. Est-ce que tu distingues des petits carrés gris entre les angles des carrés noirs du dessin ci-dessus ?

2. Et que vois-tu ici : trois cercles incomplets ou bien un triangle flottant au milieu des trois cercles ?

Explication

Les dessins contrastés tels les carrés noirs en 1 se confondent parfois dans le cerveau : on voit alors se former des carrés gris fantomatiques. En outre, le cerveau complète les détails à partir d'indices simples. Les parties manquantes des cercles en 2 deviennent les angles d'un triangle fantomatique.

Droites ou courbes ?

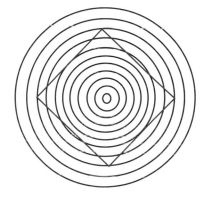

1. Le losange rouge superposé à ces cercles a-t-il des côtés droits ou courbes ? Utilise une règle pour le savoir.

2. Ces carreaux sont-ils tous de la même taille ? Les rangées horizontales sont-elles bien droites ? Vérifie avec une règle.

Explication

Certains motifs modifient la perception que l'on a des lignes droites. Les lignes circulaires en 1 déforment le losange à côtés droits, qui paraît courbe. En 2, la ligne horizontale noire semble faire partie des carrés noirs. On a l'impression que ceux-ci sont plus grands que les carrés blancs et que les rangées sont inclinées.

Des teintes grisées

1. Quel est le plus sombre de ces carrés gris ?

2. Regarde-les maintenant sans le fond. Quel est le plus sombre ?

Explication

La couleur plus ou moins vive du fond incite le cerveau à conclure que les carrés gris sont de teintes différentes. Sans les fonds, sur du blanc, on voit plus facilement qu'ils sont tous pareils.

Les vibrations sonores

Les sons sont formés par des vibrations de l'air. En atteignant ton oreille, elles font vibrer le tympan, ce qui te permet d'entendre des sons. Pour en savoir plus, fais les expériences sur les vibrations décrites dans ces deux pages.

Voici à quoi ressemblent les vibrations sonores sur un écran d'ordinateur.

Un tintement de fourchette

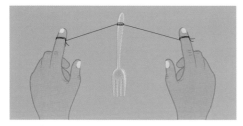

1. Coupe du fil à la longueur de ton bras. Attache une fourchette au milieu par le manche. Enroule chaque bout sur l'index.

2. Balance la fourchette de sorte qu'elle frappe douce-ment le bord d'une table. Tu entends un tintement étouffé.

3. Puis place les index sur la saillie située devant le trou des oreilles en laissant pendre la fourchette devant toi.

4. Tape de nouveau la table avec la fourchette. Qu'entends-tu cette fois-ci ?

Ne serre pas le fil trop fort : tu risques de te couper la circulation.

Explication

Quand la fourchette cogne la table, elle vibre. L'air qui l'entoure vibre à son tour et tu entends un tintement étouffé. Mais il fait vibrer également le fil.

En mettant les doigts près de tes oreilles, tu rapproches le fil des récepteurs de l'appareil auditif. Tu entends les vibrations beaucoup plus clairement. Elles produisent comme un bruit de cloche.

Tu trouveras ici un petit dossier intéressant pour en savoir plus sur le son. Pour le lien vers ce site, connecte-toi à **www.usborne-quicklinks.com/fr**

La mesure du volume

1. Commence par couvrir un grand saladier d'un morceau de film alimentaire, en le tendant le plus possible.

2. Sur le film, pose des petits morceaux de papier de soie chiffonnés. Place le saladier près d'un haut-parleur.

3. Allume la radio et mets de la musique. Commence avec le volume bas, puis augmente-le progressivement.

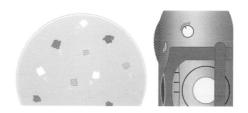

4. Le papier de soie se met à sauter. Change le style de musique. Quel volume faut-il pour que le papier bouge ?

Explication

Le son émis par les haut-parleurs fait vibrer l'air. Plus la musique devient forte, plus les vibrations augmentent. Quand elles sont assez fortes, le film se met à vibrer et à faire sauter les morceaux de papier.

La vitesse des vibrations varie avec les styles de musique. Par exemple, certains styles vont faire vibrer le film alimentaire quand le volume est réglé à un niveau plus faible que d'autres.

Comme un couac

1. À l'aide d'une punaise, perce un trou au fond d'un gobelet en plastique. Puis agrandis-le avec un crayon.

2. Coupe un morceau de ficelle de la longueur de ton bras. Fais deux nœuds à l'un des bouts, comme ceci.

3. Enfile la ficelle dans le trou de sorte que les nœuds se trouvent à l'extérieur du fond du gobelet.

4. Humecte une serviette en papier. En tenant le gobelet d'une main, fais glisser la serviette humide sur la ficelle. Que se passe-t-il ?

Explication

En faisant glisser la serviette en papier humide le long de la ficelle, tu fais vibrer cette dernière qui, à son tour, fait vibrer le gobelet. Le son est amplifié. Les vibrations sont inégales : elles produisent donc un son désagréable un peu semblable au coin-coin d'un canard.

Le colorant alimentaire dissous dans l'eau permet ici de voir plus clairement le niveau.

Des hauts et des bas

Le son varie avec le type de vibration. Plus la vibration est rapide, plus le son est aigu, et inversement. Avec ces expériences, découvre comment produire des notes de musique en créant différentes vibrations.

Un son de flûte

1. Verse différentes quantités d'eau dans des bouteilles en verre, sans les remplir jusqu'en haut. Appuie le goulot d'une bouteille sur ta lèvre inférieure.

Si tu ne produis pas de notes, modifie l'angle de la bouteille ou la force de ton souffle.

2. Souffle doucement sur le haut pour produire une note. Essaie toutes les bouteilles et compare les notes. Dispose-les de la note la plus aiguë à la plus basse.

Explication

En soufflant dans la bouteille, tu fais vibrer l'air qui s'y trouve, ce qui produit une note. La note varie selon les quantités d'eau et d'air présentes dans la bouteille. Plus l'espace séparant l'eau du goulot est grand, plus la note est basse.

Une guitare à élastiques

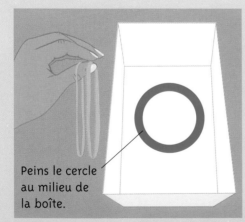

Peins le cercle au milieu de la boîte.

1. Peins un cercle au fond d'une boîte à chaussures. Prends deux élastiques de la même longueur mais d'épaisseurs différentes.

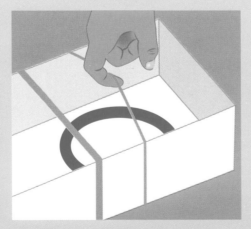

2. Enfile les élastiques sur la boîte et pince chacun d'eux avec le doigt. Le plus mince donne une note plus aiguë.

3. Puis choisis deux élastiques de la même épaisseur mais de longueurs différentes. Lequel produira la note la plus aiguë ?

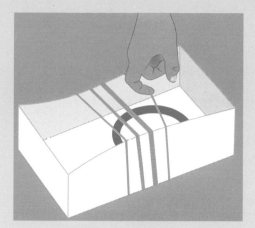

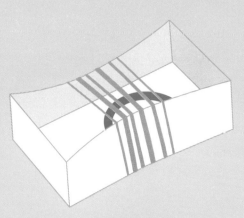

4. Enfile-les également sur la boîte et pince-les. Le plus court produit le son le plus aigu. Avais-tu raison ?

5. Mets d'autres élastiques sur la boîte. Pince-les tour à tour et dispose-les en ordre, du plus aigu au plus grave.

Ce rouleau représente le manche de la guitare.

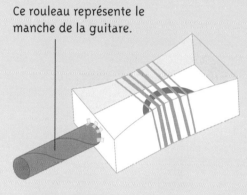

Tu pourrais peindre ta guitare et la décorer.

Rectangles

Cordes

Cercles

6. À l'aide de ruban adhésif, fixe un rouleau en carton (de papier essuie-tout) à l'un des bouts de la boîte à chaussures.

7. Ta guitare aura plus l'air d'une vraie si tu représentes la tête par un rectangle et des cercles, et dessines des cordes.

Explication

Les élastiques minces vibrent plus vite et produisent des sons plus aigus que les plus épais. Plus l'élastique est tendu, plus il vibre vite. Quand ils sont tendus, les plus petits produisent des notes plus aiguës que les plus longs.

Cette guitare a six cordes, mais tu pourrais en rajouter d'autres.

🎵 Des instructions pour s'amuser à fabriquer d'autres instruments de musique. Pour le lien vers ce site, connecte-toi à **www.usborne-quicklinks.com/fr**

Impulsion et attraction

Une force est ce qui s'exerce sur un objet et lui fait faire quelque chose. Sans les forces, rien ne bougerait. Dans ces expériences, tu vas apprendre à utiliser une force pour propulser un ballon le long d'une ficelle et découvrir ce qui peut l'empêcher d'exercer son action.

Un ballon-fusée

Vérifie que la paille glisse bien sur la ficelle.

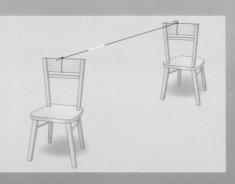

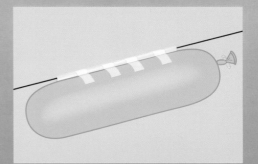

1. Coupe un morceau de ficelle d'environ 3 m et enfile-le dans une paille. Attache un des bouts à une chaise.

2. Fixe l'autre bout de la ficelle à une autre chaise. Éloigne les deux chaises de façon à bien tendre la ficelle.

3. Gonfle un ballon et ferme l'embout avec un trombone. Puis fixe le ballon à la paille, comme ci-dessus.

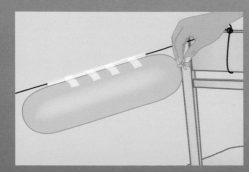

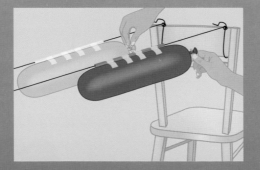

4. Pousse le ballon à un bout de la ficelle, de sorte que l'embout soit du côté de la chaise. Ôte le trombone. Que se passe-t-il ?

5. Pour faire la course avec un copain, tu pourrais attacher une deuxième ficelle et lui fixer un autre ballon.

Explication

En se dégonflant, le ballon expulse l'air par l'embout. En sortant, l'air pousse le ballon le long de la ficelle dans la direction opposée. Une loi scientifique décrit ce phénomène : toute action s'accompagne d'une réaction égale et opposée.

L'orange qui tombe

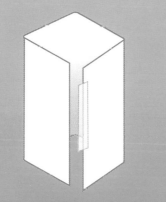

1. Coupe un morceau de carton de 10 x 8 cm. Plie-le en une colonne rectangulaire, que tu fixes avec du ruban adhésif.

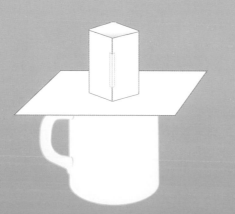

2. Pose une carte postale sur une tasse. Place la colonne dessus, de manière qu'elle soit au milieu de la tasse.

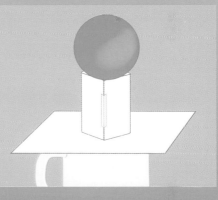

3. Place délicatement une petite orange au sommet de la colonne, de sorte qu'elle soit juste au-dessus de la tasse.

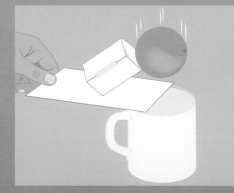

4. Enlève la carte postale d'un coup sec. La colonne devrait tomber sur le côté, et l'orange atterrir dans la tasse.

Explication

La colonne est légère et se déplace facilement vers le côté quand on enlève la carte postale. Mais l'orange est plus lourde. La force exercée n'est pas suffisante pour la déplacer. Elle tombe donc au fond de la tasse. Les scientifiques appellent ce phénomène inertie. L'inertie mesure la force nécessaire pour déplacer un objet. L'orange a une forte inertie, car elle est plus lourde ; la colonne a une faible inertie.

Une autre expérience sur la loi de l'inertie, et une variante du ballon-fusée.
Pour les liens vers ces sites, connecte-toi à **www.usborne-quicklinks.com/fr**

L'action de la friction

Le déplacement d'un objet sur une surface est ralenti par le fait que les deux surfaces adhèrent l'une à l'autre. Cette force d'adhésion s'appelle la friction. Certaines surfaces sont plus adhérentes que d'autres. Étudie ses effets avec ces expériences.

Une araignée grimpeuse

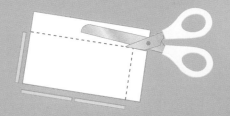

1. Ôte le bout d'une allumette usagée. Découpe un rectangle de carton de deux allumettes de long et d'une de large.

2. Colle l'allumette au milieu du rectangle avec de la pâte adhésive. Forme un petit rabat à chaque bout du rectangle.

3. Dessine une araignée sur du papier de couleur vive. Elle doit être plus grosse que le rectangle, comme ici.

4. Découpe l'araignée. Fais-lui des yeux et des crochets avec d'autres morceaux de papier. Colle-les sur l'araignée.

5. Colle le rectangle au dos de l'araignée, comme ci-dessus. Coupe un morceau de fil de la longueur de ton bras.

Enlève l'aiguille quand tu as fini.

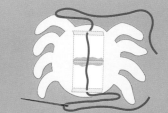

6. Enfile le fil sur une aiguille et fais-le passer au milieu de la pliure des deux rabats du rectangle de carton.

7. Tiens le fil à la verticale et tends-le entre les mains, comme sur l'illustration. Puis relâche-le. Que se passe-t-il ?

Explication

Quand le fil est bien tendu, il touche l'allumette. La friction qui se produit entre l'allumette et le fil est assez forte pour empêcher l'araignée de descendre le long du fil. Mais lorsque tu relâches le fil, il ne touche plus l'allumette. Cela signifie que la friction diminue, et donc l'araignée descend facilement sur le fil.

Une course de glisse

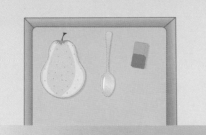

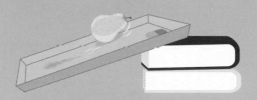

Est-ce que les objets glissent ?

Replie le torchon sur les bords pour l'empêcher de glisser.

1. Aligne des objets à l'une des extrémités d'un plateau lisse. Puis soulève ce côté et place un livre dessous.

2. Rajoute d'autres livres sous le plateau, un par un. À quelle hauteur dois-tu le soulever pour que les objets glissent ?

3. Maintenant, essaie encore une fois, mais en plaçant un torchon sur le plateau. Aligne les objets dessus.

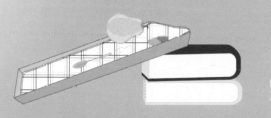

4. Cale des livres dessous comme à l'étape 2. Les objets glissent-ils de la même hauteur ? Le font-ils dans le même ordre ?

Explication

La friction est plus grande quand la surface et les objets sont rugueux. Quand tu commences à incliner le plateau, elle empêche les objets de glisser. Quand la pente augmente, les objets lisses sont les premiers à glisser. La serviette rend la surface plus rugueuse et accroît la friction : il faut donc une plus forte inclinaison pour que les objets glissent. L'ordre dans lequel ils le font reste cependant le même. Leur poids influence aussi la rapidité avec laquelle ils glissent.

La friction et la chaleur

Ne bouge pas l'autre pièce.

1. Pose deux pièces de monnaie sur un journal. En appuyant avec l'index, frotte l'une d'elles très vite sur le papier.

2. Continue pendant environ 30 secondes. Puis pose les deux pièces dans ta main. Laquelle est la plus chaude ?

Explication

La pièce que tu as frottée est beaucoup plus chaude. C'est à cause de la friction causée par le mouvement de la pièce sur la surface rugueuse du journal. L'énergie utilisée pour déplacer la pièce s'est transformée en énergie thermique, ou chaleur, durant la friction. La même chose se produit quand on frotte ses mains l'une contre l'autre.

 Une rubrique sur la force de frottement appliquée aux freins des véhicules. Pour le lien vers ce site, connecte-toi à **www.usborne-quicklinks.com/fr**

Les pieds sur terre

À quelle hauteur peux-tu sauter ? Combien de temps peux-tu rester en l'air ? Quoi que tu fasses, une force venant de la Terre, la pesanteur, te fait redescendre. Avec ces expériences, découvre comment fonctionnent la pesanteur et l'équilibre.

Les équilibristes

La boule doit avoir à peu près la taille d'une balle de ping-pong.

1. Fais une boule lisse avec de la pâte à modeler que tu roules entre tes mains. Coupe en deux au couteau pour faire un socle.

2. Pour l'équilibriste, dessine un croissant terminé par un cercle sur un bout de bristol de la taille d'une carte postale.

3. Dessine des bras tendus et un petit croissant pour l'autre jambe. Complète avec les mains, les pieds et le visage.

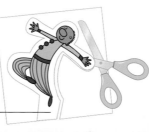

Décore le personnage avec des feutres.

Patte

4. Dessine une patte carrée sous le pied. Puis découpe l'équilibriste, et la patte, en laissant un bord tout autour.

Attention de ne pas écraser le socle.

5. Avec un couteau, fais une fente dans le socle, puis enfonce la patte. Essaie maintenant de renverser l'équilibriste.

Explication

Quand tu pousses l'équilibriste, il se redresse. C'est parce que le socle rond pèse plus lourd que le corps. En effet, la répartition inégale du poids influence l'action de la pesanteur sur l'équilibriste. Plus la base d'un objet est lourde, plus ce dernier reste dressé.

Le papillon en équilibre

Le papillon doit avoir à peu près la taille de ta main.

1. Plie une feuille de papier en deux. Dessine la moitié d'un papillon contre la pliure et découpe-la. Déplie la feuille.

2. Trace le contour du papillon sur du bristol et découpe-le. Colle une pièce de monnaie sur le bout de chaque aile.

Essaie de le mettre en équilibre sur ton nez ou sur le bord d'un verre.

3. Enfonce un crayon dans de la pâte à modeler. Essaie de mettre le papillon en équilibre sur le crayon. À quel endroit s'équilibre-t-il ?

Explication

L'endroit sur lequel le papillon reste en équilibre s'appelle l'axe de rotation. Si tu mets une pièce d'un poids différent sur un côté, ou si tu déplaces les pièces, l'axe de rotation change de place. Pour que le papillon soit en équilibre, le produit du poids des pièces par leur distance à l'axe de rotation doit être le même des deux côtés.

Tu peux faire adopter des poses différentes à tes personnages.

 Tombera, tombera pas ? Deux autres expériences à faire sur l'équilibre. Pour le lien vers ce site, connecte-toi à www.usborne-quicklinks.com/fr

L'énergie élastique

Quand on étire un élastique, on dépense de l'énergie ;
elle est stockée dans l'élastique. Quand on le lâche, elle
se dégage et l'élastique reprend sa forme d'origine. Dans
ces deux pages, tu apprendras à utiliser cette énergie.

Le bateau à aube à élastique

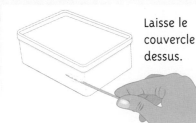

Laisse le couvercle dessus.

1. Colle une pique à apéritif sur l'un des longs côtés d'un petit pot de margarine vide de sorte qu'elle dépasse, comme ceci.

2. Colle une seconde pique de l'autre côté de la même façon. C'est sur ces supports que tu fixeras l'aube à élastique.

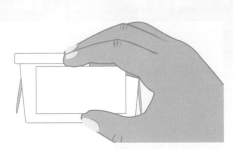

3. Dans le couvercle d'un autre pot, découpe un rectangle aux côtés un peu plus petits que le bout du bateau (1,5 cm de moins).

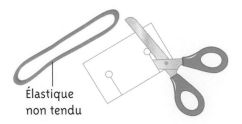

Élastique non tendu

4. Fais deux trous au perforateur. Découpe une fente jusqu'aux trous. Choisis un élastique de la largeur de l'extrémité du bateau.

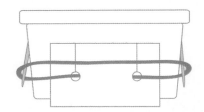

5. Glisse l'élastique dans les trous par les fentes. Puis fais passer l'élastique autour des deux piques.

6. Pour faire le pont du bateau, coupe un gobelet en plastique en deux. Colle-le d'un côté du couvercle du pot.

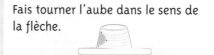

Fais tourner l'aube dans le sens de la flèche.

7. Tu peux décorer le bateau comme ci-dessus. Ensuite, remplis l'évier ou la baignoire et mets ton bateau à l'eau.

8. Fais tourner l'aube jusqu'à ce que l'élastique soit tortillé. Puis lâche. Le bateau devrait se mettre à avancer dans l'eau.

Explication

En tortillant l'élastique, on l'étire. Quand on le lâche, il se détortille et reprend alors sa longueur d'origine. En se dégageant, l'énergie stockée dans l'élastique fait tourner l'aube et avancer le bateau.

La balle qui rebondit

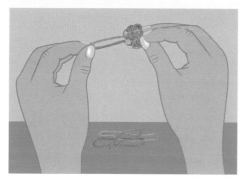

Essaie de faire une boule aussi ronde que possible.

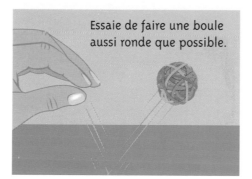

1. Fais une boule grossière avec quatre ou cinq élastiques. Puis entortille d'autres élastiques autour de la boule pour les maintenir ensemble.

2. Quand la boule a à peu près la taille d'une balle de ping-pong (15-20 élastiques), essaie de la faire rebondir sur le sol. Jusqu'où monte-t-elle ?

Explication

Quand la balle touche le sol, l'élastique s'étire légèrement. Quand elle rebondit, il reprend sa longueur habituelle. C'est l'énergie stockée lorsque l'élastique s'étire brièvement qui fait rebondir la balle dans l'air.

La plus grosse balle d'élastiques jamais créée avait 4,5 m de diamètre. Elle comprenait six millions d'élastiques !

 Tu peux admirer sur ce site de super modèles de véhicules à élastique.
Pour le lien vers ce site, connecte-toi à **www.usborne-quicklinks.com/fr**

Les structures stables

Pour construire les gratte-ciel et les grands ponts, il faut non seulement des matériaux solides, mais aussi des techniques appropriées. Certaines formes sont plus résistantes et plus stables que d'autres. Mets différentes formes à l'épreuve avec ces expériences.

Essaie de construire une haute tour capable de supporter une petite voiture.

La tour

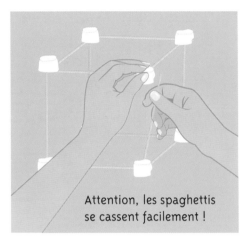

Attention, les spaghettis se cassent facilement !

Les diagonales ont environ la longueur des deux tiers d'un spaghetti.

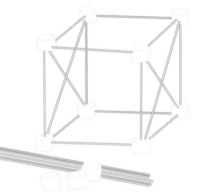

1. Construis un cube avec des moitiés de spaghettis crus et des guimauves, comme ci-dessus. Est-il stable ?

2. Casse d'autres spaghettis pour relier les angles du cube en diagonale. Le cube est-il maintenant plus stable ?

3. Construis la tour la plus haute possible avec guimauves et spaghettis. Pose un carton dessus et essaie de voir quel poids la tour peut supporter.

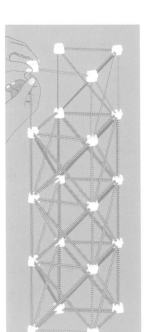

Tu peux renforcer la structure en doublant les spaghettis sur chaque côté.

Essaie de relier plusieurs pyramides entre elles.

La pyramide

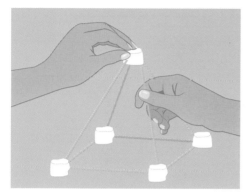

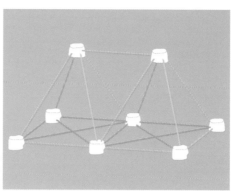

1. Fais un carré avec des moitiés de spaghettis et des guimauves. Rajoute quatre autres moitiés pour faire une pyramide.

2. Agrandis ta pyramide en ajoutant d'autres spaghettis comme ci-dessus. Cette structure est-elle stable ?

Explication

Les cubes et les pyramides forment des structures stables. Les cubes sont stables s'ils sont renforcés par des diagonales. Les pyramides, elles, sont des structures très solides, car le triangle est l'une des formes les plus résistantes.

Les ponts

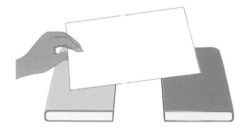

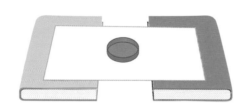

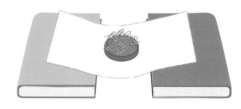

1. Pose deux gros livres de la même épaisseur à 12-15 cm l'un de l'autre. Trouve un bout de bristol de la taille de ce livre.

2. Pose-le sur les livres pour faire un pont. Puis pose dessus un petit couvercle de bocal en plastique.

3. Remplis le couvercle de trombones. Le pont commence à s'affaisser. Combien en faut-il pour qu'il s'effondre ?

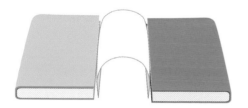

4. Enlève le couvercle. Fais un nouveau pont, cette fois en courbant le bristol et en le coinçant entre les livres.

5. Pose le couvercle dessus et remplis-le aussi de trombones. Combien en faut-il cette fois-ci pour qu'il s'effondre ?

Explication

Le premier pont est plat ; rien ne le soutient sur les côtés. Quand on augmente le poids qu'il supporte, il s'effondre. Avec le pont en dos d'âne, le poids est transmis par le bristol aux gros livres. Comme la charge est partagée, le pont supporte un poids plus important.

 Deux autres expériences : construis un pont avec des cure-dents, et une grue. Pour les liens vers ces sites, connecte-toi à **www.usborne-quicklinks.com/fr**

Sous pression

L'air qui nous entoure appuie constamment sur nous, tout comme l'eau quand nous nous baignons. C'est ce que l'on appelle la pression. Quand on comprime l'air ou l'eau, la pression augmente. Ces expériences montrent ce qui se passe quand ils sont sous pression.

Le plongeur plongeant

1. Sur une feuille de papier assez grande pour entourer la moitié d'une bouteille en plastique, peins ou dessine un décor sous-marin. Scotche-le à la bouteille de façon que le dessin soit à l'intérieur.

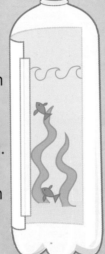

2. Cherche un capuchon de stylo avec agrafe, à laquelle tu fixeras un trombone. S'il y a un trou dans le capuchon, bouche-le avec de la pâte adhésive.

3. Découpe le plongeur dans un morceau de plastique mince de couleur. Fixe-le au trombone avec de la pâte adhésive.

Le plongeur doit être suffisamment étroit pour passer par le goulot de la bouteille.

4. Mets le plongeur dans un grand verre d'eau. Il devrait en principe flotter vers le haut. S'il est trop lourd, enlève de la pâte adhésive.

Le plongeur flotte près du haut de la bouteille.

Découvre pourquoi les bulles de savon sont rondes, et deux recettes pour en créer. Pour le lien vers ce site, connecte-toi à www.usborne-quicklinks.com/fr

5. Remplis la bouteille d'eau. Puis enfonce doucement le plongeur dans la bouteille et remets le bouchon.

6. Appuie sur les côtés de la bouteille : le plongeur s'enfonce. Relâche la bouteille : le plongeur remonte à la surface.

Le plongeur descend d'abord lentement, donc regarde-le bien.

Explication

Une bulle d'air se trouve dans le capuchon du stylo. En serrant la bouteille, on fait remonter de l'eau dans le capuchon, ce qui comprime la bulle et fait descendre le plongeur. Quand on arrête de serrer, la bulle reprend sa taille normale et repousse l'eau. Le plongeur remonte.

La cloche de plongeur

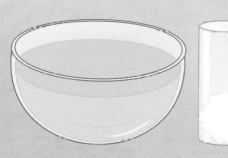

1. Remplis l'évier ou un grand récipient d'eau. Enfonce une boule de papier au fond d'un grand verre.

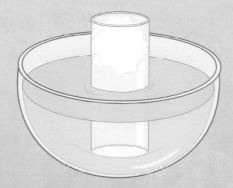

2. Retourne le verre et plonge-le dans l'eau. Puis ressors-le et touche le papier. Est-ce qu'il est mouillé ?

Explication

Quand tu plonges le verre dans l'eau, celle-ci appuie sur l'air qui se trouve à l'intérieur. Plus l'air est comprimé, plus il appuie contre l'eau. Comme tous deux appuient en même temps, l'eau ne pénètre pas et le papier reste sec.

Le verre renversé

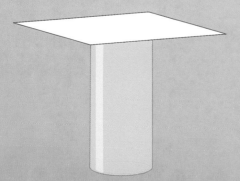

1. Remplis un verre d'eau jusqu'au bord. Pose une carte postale dessus, de manière à recouvrir l'ouverture.

2. En tenant fermement la carte contre le verre, retourne celui-ci au dessus d'un évier. Lâche la carte.

Explication

La carte ne tombe pas parce que l'air pousse sur elle et la colle au bord du verre. L'eau, au lieu de sortir, reste donc à l'intérieur du verre. Pour que l'eau puisse couler, le seul moyen est d'enlever la carte.

Dans les airs

C'est la pression de l'air — l'air qui agit constamment sur nous et sur tout ce qui nous entoure — qui permet aux avions et aux oiseaux de voler. Découvre comment elle permet aux ailes de fonctionner et aux avions en papier de voler.

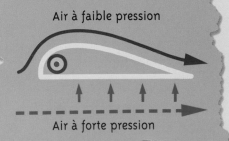

Tu peux te servir de papier imprimé pour ton avion.

Une aile en papier

1. Coupe un rectangle de bristol de 15 x 5 cm. Plie-le en deux de sorte que le petit côté d'une moitié dépasse l'autre de 1 cm.

Grand côté

Petit côté

2. Colle ensemble les deux bouts de la bande. La moitié la plus longue forme une courbe semblable à une aile.

3. Enfile un crayon dans l'aile et laisse-la pendre en dessous, en tournant vers toi le côté plat, comme ci-dessus.

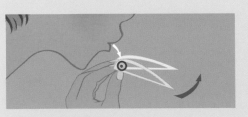

4. Souffle vers le bas, juste par-dessus le haut du crayon et sur le côté courbe. Que se passe-t-il ?

Explication

On désigne cette forme d'aile par le terme de surface portante. L'air que tu souffles sur le côté courbe de l'aile va plus vite que l'air du dessous, parce que la distance à parcourir est plus longue. Cet air exerce aussi une pression moindre. La pression de l'air plus lent qui se trouve sous l'aile est plus forte. Elle pousse l'aile vers le haut : c'est ce qui permet aux oiseaux et aux avions de voler.

Air à faible pression

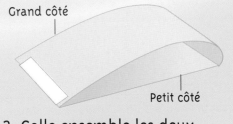

Air à forte pression

 Une page sur la pression atmosphérique, avec une autre expérience. Pour le lien vers ce site, connecte-toi à **www.usborne-quicklinks.com/fr**

Quand on replie le bout des ailes vers le bas et qu'on lance l'avion vers le haut, il fait un looping.

Un avion en papier

1. Plie une feuille A4 en deux dans le sens de la longueur. Ouvre-la et replie les angles du haut jusqu'à la pliure.

2. Replie le triangle ainsi formé de manière que son sommet s'aligne avec la pliure du milieu, comme sur l'illustration.

3. Replie les angles du sommet de sorte qu'ils se rejoignent un peu au-dessus du sommet du triangle, comme ceci.

Pliure du milieu

Plie à cet endroit.

4. Ensuite, replie le bout du triangle de manière qu'il chevauche les rabats repliés et les maintienne en place.

5. Retourne la feuille. Plie-la en deux le long de la pliure du milieu et lisse soigneusement tous les plis.

6. Pour faire les ailes, plie les deux côtés à l'endroit illustré ci-dessus. Lance l'avion pour vérifier s'il vole bien.

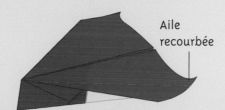

Aile recourbée

7. Recourbe les ailes vers le haut ou vers le bas avec un crayon. Quel effet cela a-t-il sur la trajectoire de l'avion ?

Explication

Comme l'avant des ailes est plus épais, il joue le même rôle que la surface portante de la première expérience et permet à l'avion de voler. La courbure des ailes modifie la circulation de l'air autour de l'avion. En courbant l'aile gauche, on dirige l'avion vers la droite et inversement. En courbant les deux vers le haut, on fait monter l'avion. En les courbant vers le bas, on le fait descendre.

L'attraction magnétique

Les aimants exercent une attraction sur divers métaux. Certains, tel le fer, peuvent aussi jouer le rôle d'aimant. Ces deux pages traitent de l'attraction magnétique. Tu feras une boussole, un instrument servant à indiquer le nord, et tu découvriras comment elle fonctionne.

Matériel spécial

Les magasins de jouets ou les quincailleries vendent des aimants puissants. Ceux de réfrigérateur sont trop faibles.

La boussole

1. Avec un verre, trace un cercle sur une feuille de papier mince. Découpe-le. Enfile une grosse aiguille dedans, comme ceci.

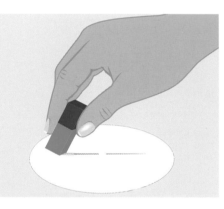

2. Avec le bout d'un aimant, frotte l'aiguille 20 fois dans la même direction. Soulève l'aimant à chaque fois.

Sois patient : cela peut prendre un certain temps.

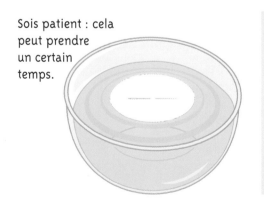

3. Remplis un saladier d'eau et dépose le cercle sur la surface. Au bout d'un moment, il se met lentement à tourner puis s'arrête.

Tu peux vérifier avec une vraie boussole.

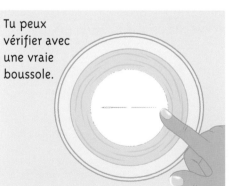

4. Si tu fais tourner la feuille, l'aiguille la fait revenir à la même place. Elle est orientée nord-sud.

Explication

L'aiguille est composée d'un acier qui contient des particules de fer disposées dans le désordre. Mais lorsqu'on frotte celle-ci avec un aimant, ces particules se magnétisent temporairement.

Particules de fer en désordre dans une aiguille

À l'intérieur de la Terre, il y a tant de fer que celui-ci joue le rôle d'un aimant géant et lui donne un champ magnétique. L'aiguille magnétisée s'aligne avec le champ magnétique de la Terre. Elle joue ainsi le rôle d'une boussole et indique toujours le nord et le sud.

Particules de fer rangées en bon ordre dans une aiguille magnétisée.

Surfe sur ce site pour en savoir plus sur les aimants et le magnétisme. Pour le lien vers ce site, connecte-toi à **www.usborne-quicklinks.com/fr**

Le papillon qui plane

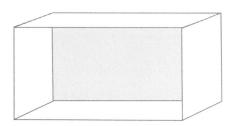

1. Place une boîte à chaussures (sans son couvercle) sur le côté. Coupe un morceau de fil plus long que la hauteur de la boîte.

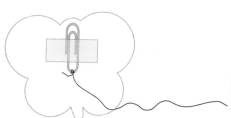

2. Attache un trombone à un bout du fil. Dans du papier de soie, découpe un papillon et scotche-le au trombone.

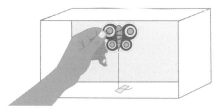

3. Tiens le papillon dans la boîte de manière qu'il touche presque le haut. Tends le fil et scotche-le dans le fond.

4. Pose un aimant sur le haut de la boîte, juste au-dessus de l'endroit où le fil est collé sur le fond.

Tu peux décorer ton papillon avec des feutres.

5. Tiens le papillon près de l'aimant, en tendant le fil. Puis lâche-le. Le papillon devrait se maintenir en l'air.

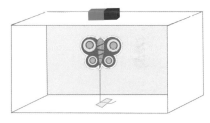

6. Maintenant, éloigne un peu le papillon de l'aimant en raccourcissant le fil. Continue-t-il à planer ?

Explication

Les trombones sont composés d'acier, qui contient du fer. L'attraction exercée par l'aimant sur le fer est assez puissante pour tirer sur le trombone, même sans le toucher. Toutefois, le fil empêche le trombone d'aller se coller à l'aimant. Plus l'aimant est puissant, plus la distance à laquelle son effet se fait sentir est grande.

L'électricité statique

Certains matériaux comme le plastique et la laine — ou les tissus synthétiques du type acrylique — s'attirent l'un l'autre quand on les frotte ensemble ; ils font même des étincelles. Ici, tu verras comment produire ce phénomène appelé électricité statique et tu pourras en étudier les effets.

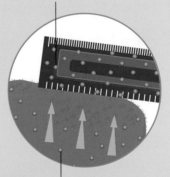

L'électricité statique permet à cette règle de soulever ce serpent en papier.

Le charmeur de serpent

1. Sur un morceau de papier de soie, trace un cercle avec une assiette. Découpe-le. Dessus, dessine un serpent enroulé.

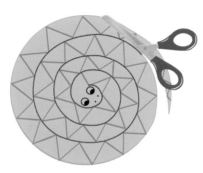

2. Pour décorer ton serpent, dessine dessus des zigzags et des yeux avec des feutres. Ensuite, découpe-le.

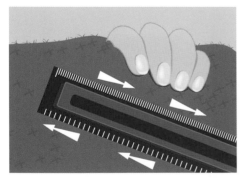

3. Frotte une règle en plastique assez fort et assez vite pendant 30 secondes sur une écharpe ou un pull en laine.

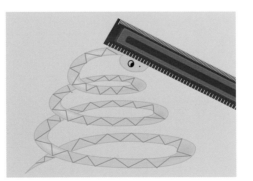

4. Ensuite, touche la tête du serpent avec la règle. Lève-la lentement. Le serpent devrait se dérouler et se dresser.

Explication

Quand on frotte la règle en plastique sur la laine, des particules invisibles se transmettent de la laine à la règle.

Des particules se transmettent à la règle quand on la frotte.

Les particules viennent de la laine.

Ces particules en plus sur la règle provoquent une accumulation d'électricité statique. Celle-ci tire sur le papier de soie. Ce papier est si léger que l'électricité statique de la règle est assez puissante pour le soulever.

Réalise une autre expérience sur l'électricité statique, avec une courte vidéo. Pour le lien vers ce site, connecte-toi à www.usborne-quicklinks.com/fr

Le poivre sauteur

Il faut un couvercle transparent.

1. Dans une boîte en plastique peu profonde, répands une mince couche de poivre moulu. Mets le couvercle.

2. Frotte le couvercle pendant 30 secondes avec une écharpe ou un pull en laine. Arrête de frotter et examine le couvercle.

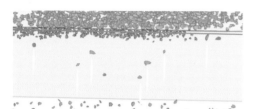

3. La poudre de poivre saute et vient se coller au couvercle. On entend même le bruit qu'elle fait en s'y cognant.

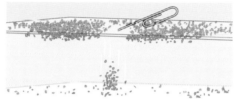

4. Déplie un trombone et touche le couvercle avec un de ses bouts. Le poivre se déplace ou retombe au fond.

Explication

En frottant le couvercle, tu accumules de l'électricité statique, laquelle attire la poudre de poivre. En touchant le couvercle avec le trombone, tu transfères l'électricité statique au métal. Le poivre retombe alors ou est attiré vers les endroits du couvercle qui contiennent encore de l'électricité statique. Celle-ci est transmise par le trombone en métal à ton corps, puis à la Terre. Le trombone n'accumule donc aucune électricité.

La puissance de l'électricité statique

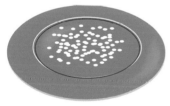

1. Fais des confettis avec un perforateur. Il en faut assez pour couvrir le fond d'une petite assiette.

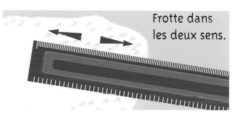

Frotte dans les deux sens.

2. Frotte une règle dix fois sur une écharpe ou un pull en laine. Frotte dans les deux sens et appuie assez fort.

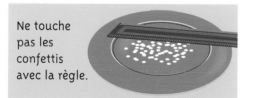

Ne touche pas les confettis avec la règle.

3. Tiens la règle juste au-dessus de l'assiette. Les confettis sont attirés par la règle. Enlève-les et compte-les.

En tapotant la règle, tu enlèves l'électricité statique.

4. Tapote la règle contre une table. Puis frotte-la contre un tissu différent et compte les confettis qu'elle attire.

Explication

La laine et certains tissus synthétiques sont parmi les meilleurs matériaux pour produire de l'électricité statique. Ils transmettent facilement les particules à la règle et elle attire beaucoup de confettis. D'autres tissus, tel le coton, ne transmettent pas ces particules aussi facilement : ils produisent très peu d'électricité statique et la règle n'attire que peu de confettis. Tapoter la règle permet de tester l'électricité statique accumulée par seulement un des tissus.

La clé conduit l'électricité : le nez de la bestiole s'allume. Le crayon ne conduit pas l'électricité.

Des lucioles électriques

Certains matériaux transmettent l'électricité : ce sont des conducteurs. Dans cette expérience, tu vas faire une bestiole qui te permettra de vérifier quels matériaux conduisent l'électricité. Quand la bestiole touche un conducteur, son nez s'allume.

Matériel spécial

Le fil électrique et les petites ampoules de lampe de poche s'achètent à la quincaillerie, les cure-pipes au tabac.

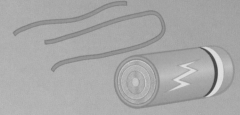

1. Coupe un bout de fil électrique plastifié à la longueur d'une pile D, puis un autre morceau deux fois plus long.

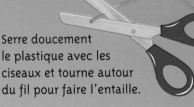

Serre doucement le plastique avec les ciseaux et tourne autour du fil pour faire l'entaille.

2. Sans couper le fil de métal, fais une petite entaille dans le plastique à 1,5 cm de chaque bout et enlève le plastique.

Vérifie que la partie en métal du fil touche la pile.

3. Scotche l'un des bouts du long morceau de fil électrique à la partie plate de la pile. Fixe-le ensuite le long du côté.

Vérifie que le fil en métal touche bien la partie métallique de l'ampoule.

4. Entoure un des bouts du fil électrique court autour de la base métallique d'une petite ampoule de lampe de poche.

Le fil doit traverser la pâte adhésive.

5. Place la base de l'ampoule contre l'autre bout de la pile (qui est sans fil). Fixe-la avec de la pâte adhésive.

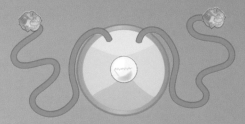

6. Autour de chaque bout libre de fil, fais une petite boule de papier aluminium de la taille de ta paume.

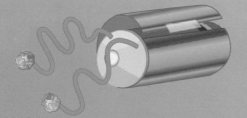 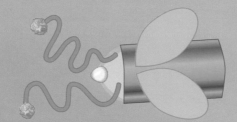

7. Coupe un bout de papier de couleur vive assez grand pour recouvrir la pile. Fixe-le dessus avec du ruban adhésif.

8. Dessine deux ailes dans du papier épais et découpe-les. Puis colle-les sur le dos de la luciole, comme indiqué.

Explication

Le métal est bon conducteur. Lorsque les boules en papier aluminium touchent un objet en métal, l'électricité est transmise de la pile à l'ampoule, qu'elle allume. De l'ampoule, l'électricité circule le long du fil, passe par le conducteur et revient à l'autre bout de la pile par l'autre fil, formant ce que l'on appelle un circuit.

Si les boules ne touchent pas un conducteur, le circuit est interrompu. Le courant ne passe pas et l'ampoule ne s'allume pas.

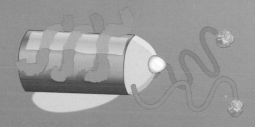 

9. Coupe deux cure-pipes en deux. Fixe trois d'entre eux sous la luciole. Recourbe-les pour former les pattes.

10. Découpe deux cercles pour les yeux. Dessine la pupille au milieu. Colle-les sur la pâte adhésive près de l'ampoule.

Les flèches indiquent dans quel sens l'électricité circule quand la luciole touche un conducteur.

11. Touche différents objets avec les deux boules de papier aluminium. S'ils sont conducteurs, le nez de la luciole s'allume.

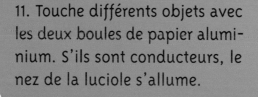

Ne teste jamais les prises ou les appareils électriques. Tu risques de t'électrocuter !

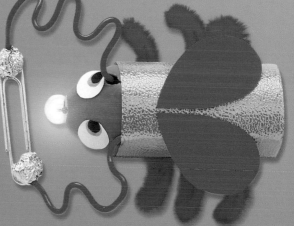

 Deux sites permettant de construire une lampe de poche et un télégraphe. Pour les liens vers ces sites, connecte-toi à **www.usborne-quicklinks.com/fr**

Les électroaimants

On peut utiliser l'électricité pour fabriquer un électroaimant, c'est-à-dire un aimant qui s'allume et qui s'éteint. Cette expérience te permet d'en fabriquer un et de tester sa puissance.

Il te faudra un morceau de fil de la longueur de ton bras.

1. Enroule du fil plastifié sur la partie en métal d'un tournevis. Laisse flotter à chaque bout un morceau de 13 cm.

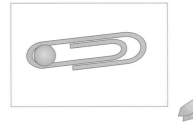

La pâte adhésive ne doit pas recouvrir le bout.

2. Pour empêcher le fil de se dérouler, colle près du bout du tournevis un bon morceau de pâte adhésive.

Serre doucement le plastique avec les ciseaux et tourne autour du fil pour faire l'entaille.

3. Sans couper le fil de métal, fais une petite entaille dans le plastique à 1,5 cm de chaque bout et enlève le plastique.

4. Coupe un autre morceau de fil d'une dizaine de centimètres. Dénude-le à chaque bout, comme à l'étape 3.

5. Pose un trombone en métal sur une petite carte. Enfonce une attache parisienne à travers le trombone et le bristol.

6. Enfonce une autre attache parisienne dans le bristol de manière que le trombone, en pivotant, puisse la toucher.

7. Retourne le bristol. Enroule un des bouts du long morceau de fil autour du dos de l'une des attaches parisiennes.

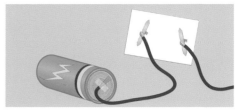

8. Enroule l'un des bouts du fil court autour de l'autre attache parisienne. Puis scotche l'autre bout à une pile D.

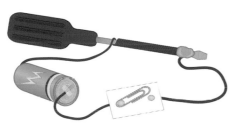

9. Vérifie que le trombone ne touche que l'une des attaches parisiennes. Puis colle à la pile le bout libre du long fil.

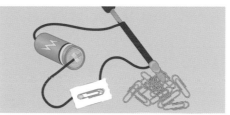

10. Déplace le trombone pour qu'il touche les deux attaches. Puis touche un tas de trombones avec le bout du tournevis.

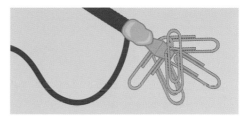

11. Le tournevis se comporte comme un aimant et attire plusieurs trombones. Combien réussis-tu à en soulever ?

12. Déplace le trombone de manière que, cette fois, il ne touche que l'une des attaches. Attends une ou deux minutes.

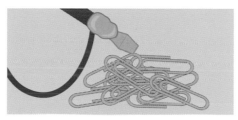

13. Touche de nouveau le tas de trombones avec le bout du tournevis. Que se passe-t-il cette fois-ci ?

Explication

Le trombone joue le rôle d'un interrupteur. Quand il touche les deux attaches, l'électricité circule de la pile par les fils. En circulant, elle crée un champ magnétique. Ce champ magnétise le métal du tournevis, qui attire donc les trombones.

Quand on déroule un peu le fil, cet effet s'atténue et le tournevis attire moins de trombones. Lorsqu'on déplace le trombone, on interrompt le circuit et le tournevis cesse alors d'attirer les autres trombones. Le tournevis restera peut-être magnétique pendant un petit moment, mais l'effet disparaît bientôt.

14. Déroule en partie le fil qui entoure le tournevis et déplace le trombone pour qu'il touche de nouveau les deux attaches.

15. Le tournevis soulève-t-il le même nombre de trombones qu'en 11. Que se passe-t-il si tu déroules un peu plus le fil ?

Tu découvriras ici quelques notions à propos du circuit électrique. Pour le lien vers ce site, connecte-toi à **www.usborne-quicklinks.com/fr**

Le gel et la fusion

Toutes les choses se présentent sous la forme d'un solide, d'un liquide ou d'un gaz, mais certaines peuvent passer d'un état à l'autre. Par exemple, l'eau est liquide, mais si elle gèle, elle se transforme en glace solide. Voici des expériences pour en savoir plus sur le gel et la fusion.

L'expansion de l'eau

1. Remplis d'eau jusqu'au bord un gobelet en plastique. Mets avec précaution le gobelet au congélateur, en essayant de ne rien renverser.

2. Laisse-le au congélateur jusqu'au lendemain. Sors-le quand l'eau est complètement congelée. À quel niveau se trouve maintenant l'eau ?

Explication

La glace prend plus de place que l'eau. Ainsi, en gelant, l'eau se dilate et prend davantage de place. Si le gobelet est plein jusqu'au bord, il n'y a pas assez de place, et l'eau déborde et gèle à l'extérieur. Quand la glace fond, l'eau reprend son volume d'origine.

À travers la glace

En plaçant le fil, fais attention de ne pas renverser le glaçon.

1. Déplie un trombone. Avec du ruban adhésif, colle à chaque bout trois lourdes cuillers. Pose un glaçon en équilibre sur le goulot d'une bouteille en verre.

2. Courbe le fil de manière qu'il soit plat et repose sur le glaçon. Mets la bouteille au réfrigérateur pendant une heure. Le fil devrait s'enfoncer dans la glace.

Explication

En comprimant le glaçon, le fil du trombone fait fondre la glace, et il va descendre. Pendant ce temps, l'eau qui se trouve au-dessus gèle de nouveau. C'est le principe du patin à glace sur la patinoire. La pression qu'il exerce fait fondre temporairement la glace : les patineurs glissent en réalité sur l'eau.

La glace fondante

1. Pose l'index au milieu d'un glaçon pendant 10 secondes. Il fond un peu sous l'effet de la pression et de la chaleur.

2. Mets une pincée de sel au milieu d'un autre glaçon. Attends quelques minutes. Que se passe-t-il ?

Explication

La pression et la chaleur accélèrent la fusion de la glace. On obtient le même résultat avec du sel, car il fait fondre la glace à une température plus basse. C'est pour cela que l'on met du sel sur les routes quand il gèle.

Un granité au jus de fruit

1. Remplis un saladier de glaçons. Saupoudre-les de trois cuillerées à soupe de sel et mélange bien.

Ne laisse pas la glace salée pénétrer dans le verre.

2. En faisant attention, place un verre au milieu de la glace. Remplis-le à moitié avec du jus de fruit.

S'il fait chaud, il faudra peut-être rajouter de la glace.

3. Toutes les 10 minutes, remue le jus avec une cuiller. Au bout d'une heure et demie, il va ressembler à de la glace fondue.

4. Tourne toutes les 5 minutes pendant encore une demi-heure jusqu'à obtenir un granité. Puis mange-le ou laisse-le durcir.

Explication

Quand on ajoute du sel, la glace fond à une température plus basse. Dans le saladier, il y a de la glace salée très froide et de l'eau. Ce mélange absorbe la chaleur du jus de fruit et le rend de plus en plus froid. Au bout d'un certain temps, il se met à geler, mais quand on tourne, la glace se désagrège et forme du granité au lieu de la glace solide.

 Le cycle de l'eau dans la nature et les changements d'état de la matière. Pour le lien vers ce site, connecte-toi à **www.usborne-quicklinks.com/fr**

Tu peux obtenir ces motifs avec l'expérience ci-dessous.

Tension superficielle

La surface de l'eau et d'autres liquides se comport souvent comme une membrane. Cela s'explique par le fait que les minuscules particules qui composent le liquide tirent les unes sur les autres plus fortement à la surface. Ce phénomène s'appelle la tension superficielle. Observe ici ses effets.

La diminution de la tension superficielle

1. Remplis à moitié un petit saladier avec de l'eau. Puis saupoudre dessus une fine couche de poivre moulu.

2. Plonge une pique à apéritif dans du liquide vaisselle. Touche ensuite le milieu de la surface avec le bout de la pique.

3. Observe les minuscules grains de poivre quand le liquide vaisselle touche l'eau. Que se passe-t-il ?

Utilise si possible du colorant alimentaire de différentes couleurs.

4. Remplis à moitié de lait un autre petit saladier. Verse deux ou trois gouttes de colorant alimentaire à différents endroits.

Tu peux toucher le lait à différents endroits pour mieux mélanger les colorants.

5. Plonge une pique à apéritif dans du liquide vaisselle et touche le lait avec. Qu'arrive-t-il aux colorants ?

Explication

Le liquide vaisselle réduit la tension superficielle. Cela permet aux particules d'eau de la surface de s'étaler à partir de l'endroit où tu l'as mis. En s'étalant, elles poussent les grains de poivre vers les côtés. Elles poussent également les colorants alimentaires, qui s'étalent et se mélangent en formant des dessins.

 Une page pour faire une autre expérience sur la tension superficielle. Pour le lien vers ce site, connecte-toi à www.usborne-quicklinks.com/fr

Un trombone flottant

Il te faudra peut-être plusieurs essais pour faire flotter le trombone.

1. Remplis à moitié un saladier avec de l'eau. À l'aide d'une fourchette, dépose un trombone sur la surface. Il flotte.

2. Maintenant, mélange un peu de liquide vaisselle avec de l'eau et verse dans le saladier. Le trombone coule.

Explication

L'attraction qui s'exerce entre les particules de l'eau à la surface — la tension superficielle — suffit tout juste pour supporter le trombone. Le liquide vaisselle diminue cette tension : l'eau ne parvient plus à le supporter et il s'enfonce.

Des jets d'eau qui se rejoignent

La distance entre les trous est d'environ la largeur d'un crayon.

1. Enfonce une punaise dans une grande bouteille en plastique de façon à percer une rangée de trois trous vers le bas.

2. Place la bouteille dans l'évier et remplis-la d'eau. Celle-ci jaillit de la bouteille en faisant trois petits jets.

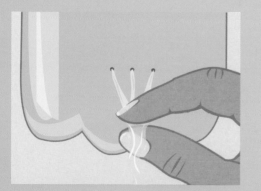

3. Pince les trois jets entre le pouce et l'index à environ 2,5 cm de la bouteille. Puis retire les doigts.

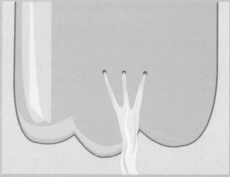

4. Les jets se rejoignent. Si tu fais glisser ton doigt sur les trous, les jets vont de nouveau se séparer.

Explication

Quand les jets coulent séparément, ils sont trop loin les uns des autres pour que les particules d'eau de l'un d'entre eux tirent sur celles des autres. Quand tu les pinces, ces particules se rapprochent suffisamment pour tirer les unes sur les autres. Cette attraction les force à former un jet unique même quand tu retires tes doigts. En faisant glisser ton doigt sur les trous, tu mets fin à l'attraction et les jets coulent de nouveau séparément.

Particules d'eau dans deux jets séparés

Deux jets dont les particules s'attirent les unes les autres.

Ce mélange se compose de fécule de maïs et d'eau.

Les mélanges

Certaines choses se mélangent très bien : le sucre dans le café, par exemple. D'autres ne se mélangent pas du tout ou donnent des résultats étonnants. Ces expériences te permettront d'étudier plusieurs mélanges. Mets un tablier et choisis un endroit qui sera facile à essuyer si tu renverses quelque chose.

Drôle de mélange

1. Dans un saladier, verse deux tasses de fécule de maïs. Ajoute une tasse d'eau et une ou deux gouttes de colorant alimentaire.

2. Mélange la fécule de maïs, le colorant alimentaire et l'eau avec les mains. Cela te prendra quelques minutes.

3. Roule en boule un peu du mélange entre tes mains. Que se passe-t-il quand tu arrêtes de rouler ?

4. Frappe le mélange avec le poing. Quelle est la sensation ? Prends-le et fais-le couler entre tes doigts. Et maintenant ?

Explication

La fécule de maïs est composée de particules longues et filandreuses, qui ne se dissolvent pas dans l'eau, mais s'étalent. Le mélange se comporte donc à la fois comme un solide et un liquide.

Quand on roule le mélange entre ses mains ou qu'on le comprime, les particules se rejoignent et le mélange semble solide. Si on ne le touche pas ou qu'on le laisse s'écouler, les particules glissent les unes contre les autres et donnent l'impression d'un liquide.

L'œuf qui flotte

1. Remplis un verre à moitié avec de l'eau. Essaie d'y faire flotter un œuf frais. Que se passe-t-il ? Enlève l'œuf.

2. Dissous cinq cuillerées à café de sel dans l'eau. Que se passe-t-il alors quand tu essaies d'y faire flotter l'œuf ?

Explication

Dans le premier verre d'eau, l'œuf coule, car il est plus dense, c'est-à-dire plus lourd, que l'eau. En ajoutant du sel dans l'eau, tu la rends plus dense que l'œuf. Il se met donc à flotter.

Les mélanges à l'huile

1. Dans un bocal propre, verse trois cuillerées à soupe de vinaigre et trois cuillerées à soupe d'huile d'olive.

2. Tu remarqueras que l'huile flotte sur le vinaigre. C'est parce que les deux liquides ne se mélangent pas.

3. Ensuite, visse le couvercle sur le bocal en serrant bien et agite le mélange pendant 30 secondes. Que se passe-t-il ?

4. Si tu attends quelques minutes, tu vas voir que les liquides se séparent et que les couches réapparaissent.

5. Utilise cette vinaigrette pour assaisonner une salade. Ajoute une pincée de sel et de poivre, et secoue de nouveau le bocal.

Explication

L'huile et le vinaigre ne se mélangent pas. On peut les forcer à le faire brièvement en secouant le bocal, mais le mélange n'est pas homogène. L'huile forme des gouttelettes dans le vinaigre. Quand on attend un moment, les deux substances vont de nouveau se séparer.

 Deux nouvelles expériences : fabrique une lampe à lave et fais une sauce à bulles. Pour les liens vers ces sites, connecte-toi à **www.usborne-quicklinks.com/fr**

Séparation des mélanges

T'es-tu jamais demandé en quoi les choses sont faites ?
De nombreuses matières sont en fait des mélanges dont on
peut séparer les composants. Ces expériences te montreront
comment dissocier ceux de deux mélanges, l'encre et la crème.

L'encre grimpeuse

Chacune de ces
bandes a été faite
en utilisant un
feutre de couleur
différente.

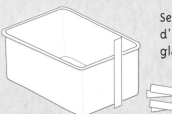

Sers-toi
d'un bac de
glace vide.

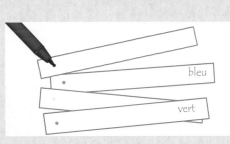

1. Coupe des bandes de papier buvard blanc un peu plus longues que la profondeur d'un grand récipient en plastique.

2. Sur chaque bande, fais un point avec un feutre de couleur différente à 2 cm du bord. Note la couleur en haut au crayon.

Matériel spécial

Le papier buvard s'achète dans la plupart des papeteries.

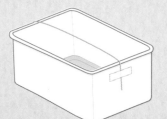

Fixe les bandes
à la ficelle avec
des trombones.

Le buvard est très
absorbant, et
l'eau monte vite.

3. Verse dans le récipient juste assez d'eau pour couvrir le fond. Fixe un bout de ficelle en travers avec du ruban adhésif.

4. Replie les bandes sur la ficelle de manière que le bout marqué du point trempe dans l'eau, mais pas le point.

5. Le papier se met à absorber l'eau. Au bout de 10 minutes, enlève les bandes. Qu'est-il arrivé aux points ?

Explication

L'encre des feutres se compose d'un mélange de couleurs différentes. Certaines se dissolvent plus facilement dans l'eau que d'autres à cause des substances chimiques qu'elles contiennent. Ces couleurs s'étalent rapidement sur le papier. D'autres contiennent des substances moins solubles. Ces couleurs restent collées au papier pour éviter l'eau. Elles ne s'étalent pas sur le papier avec elle.

L'encre marron se
compose de bleu, de
jaune et de rose. Les
couleurs se séparent
et deviennent
visibles quand
l'eau est absorbée
par le buvard.

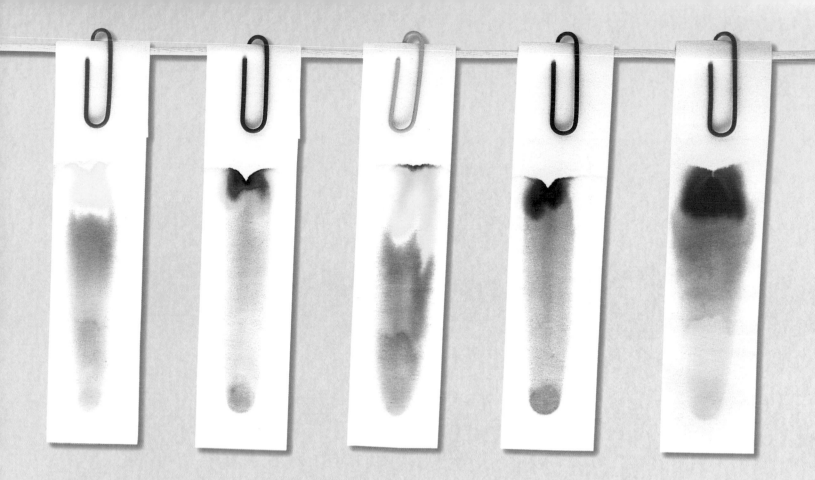

Le beurre

Utilise de la crème fraîche liquide.

1. Remplis à moitié un bocal propre avec de la crème. Ajoute une pincée de sel. Serre bien le couvercle et secoue le bocal.

C'est fatigant : tu peux demander à un copain de t'aider !

2. Continue à secouer 10 à 15 minutes. Au bout d'un moment, la crème se sépare en un liquide laiteux et un morceau de graisse.

3. Prends le morceau et mets-le sur une serviette en papier. Serre-le dans la serviette pour faire sortir tout liquide superflu.

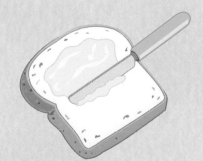

4. Maintenant, goûte-le. C'est du beurre. Mets-le dans un récipient au réfrigérateur. Tu pourras l'étaler sur du pain.

Explication

La crème se compose de gouttelettes de graisse réparties également dans un liquide laiteux. Si tu secoues la crème, les gouttelettes se heurtent les unes aux autres. Plus tu secoues, plus elles se heurtent et se rejoignent. Elles finissent par se transformer en beurre.

 Une autre expérience sur la séparation des couleurs avec des smarties. Pour le lien vers ce site, connecte-toi à **www.usborne-quicklinks.com/fr**

Les acides et les bases

Les acides et les bases sont des substances chimiques. Quand ils sont très concentrés, ils peuvent être dangereux. Mais on les trouve dilués dans des substances utilisées tous les jours, tels jus de citron et bicarbonate de soude. Ces expériences montrent à quoi ils servent et comment les distinguer.

L'encre invisible

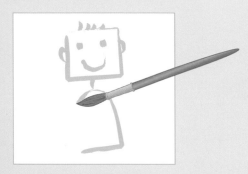

1. Verse une cuillère à soupe de jus de citron dans une petite assiette. Trempe ton doigt ou un pinceau dedans, et dessine avec sur une feuille mince.

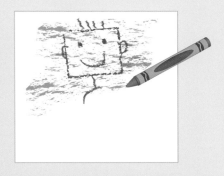

2. Laisse sécher le papier. Ton dessin est invisible, mais si tu frottes le côté d'un crayon cire sur le papier, tu constateras qu'il apparaît.

Explication

Le jus de citron est un acide. L'acide dissout les particules du papier et l'affaiblit, ce qui en modifie la surface. Ce changement reste invisible jusqu'à ce que tu frottes le crayon dessus. Les traits tracés au jus de citron se détachent sur le fond.

Un désodorisant

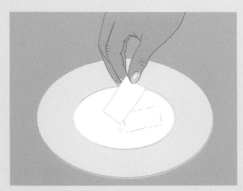

1. Prends deux petits morceaux d'essuie-tout. Trempe-les dans du lait puis laisse-les sécher. Quelle odeur ont-ils quand ils sont secs ?

2. Frotte ensuite environ une cuillerée à café de bicarbonate de soude sur les deux côtés de l'un des morceaux. Vérifie si l'odeur a changé.

Explication

Le morceau d'essuie-tout sur lequel tu n'as pas frotté de bicarbonate de soude dégage une odeur acide. L'autre ne sent presque rien. En effet, le bicarbonate de soude est une base. Les bases sont souvent utilisées dans les produits nettoyants et neutralisent ou éliminent les mauvaises odeurs.

Un chou révélateur

Coupe le chou en petits morceaux.

1. Coupe en morceaux la moitié d'un chou rouge. Mets dans une casserole et couvre d'eau. Porte-le à ébullition et laisse refroidir.

Le chou rouge tache. N'en mets pas sur tes vêtements ou sur les meubles.

2. Place une passoire fine sur un grand saladier et égouttes-y le chou. Laisse refroidir le liquide que tu as passé.

Les bandes te serviront de papier indicateur.

3. Coupe des bandes de papier buvard ou d'essuie-tout de la taille d'un doigt. Trempe-les dans le liquide et laisse sécher.

4. Verse environ 1 cm de vinaigre dans un gobelet en plastique, puis 1 cm d'eau dans un autre gobelet.

5. Dans un troisième verre, mets une demi-cuillerée à café de bicarbonate de soude dans 1 cm d'eau et remue bien.

6. Trempe une des bandes de papier indicateur dans le gobelet de vinaigre. Que se passe-t-il ?

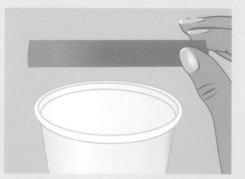

7. Maintenant, trempe une autre bande dans l'eau et une troisième dans le bicarbonate. Se produit-il la même chose ?

Explication

Le papier change de couleur selon le liquide où on le trempe. Les acides le font virer au rouge, et les bases au vert. On peut donc utiliser le papier pour vérifier si le liquide est acide ou basique. Le vinaigre est un acide, le bicarbonate de soude, une base. L'eau est neutre — elle n'est ni acide ni basique — et elle ne fait donc pas changer le papier de couleur. Teste d'autres liquides de la même façon, par exemple des boissons gazeuses, du café ou bien du lait.

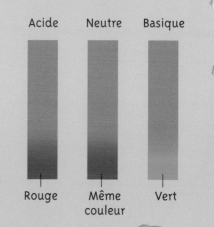

Acide	Neutre	Basique
Rouge	Même couleur	Vert

Une variante de l'expérience avec le chou, avec explications, jeu et questions. Pour le lien vers ce site, connecte-toi à www.usborne-quicklinks.com/fr

Un monstre écumant

En mélangeant des acides et des bases, on obtient de nouvelles substances chimiques. Par exemple, le vinaigre et le bicarbonate de soude produisent un gaz. Pour le vérifier, fabrique ce monstre écumant.

Si tu veux réutiliser le monstre, couvre ses pattes et sa queue de plastique autocollant transparent.

1. Sur un bout de papier épais de la moitié de la hauteur d'une petite bouteille en plastique, dessine et découpe la queue du monstre.

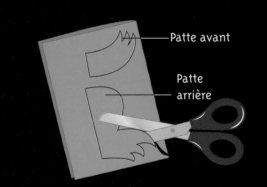

Patte avant

Patte arrière

2. Plie un autre papier épais en deux. Dessine une patte avant et une patte arrière. Découpe-les dans les deux épaisseurs.

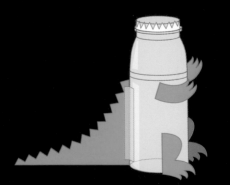

3. Scotche la queue le long de la bouteille. De l'autre côté, fixe les pattes avant, puis les pattes arrière en dessous.

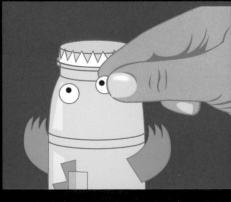

4. Découpe deux petits cercles blancs. Dessine un point sur chacun. Colle-les au-dessus de la queue pour faire les yeux.

5. Remplis à moitié la bouteille de vinaigre. Ajoute un peu de liquide vaisselle et une goutte de colorant alimentaire.

6. Fais doucement tourner la bouteille pour bien mélanger son contenu. Place-la au milieu d'une plaque à pâtisserie.

7. Verse une bonne cuillerée de bicarbonate de soude dans un carré de mouchoir en papier. Roule-le et tortille les bouts.

8. Plonge la boule dans la bouteille. Au bout de quelques minutes, de l'écume commence à sortir de la gueule du monstre.

Tu peux utiliser différents colorants alimentaires pour changer la couleur de l'écume.

Explication

Quand tu mélanges du vinaigre et du bicarbonate de soude, tu produis un gaz appelé gaz carbonique. Il forme des bulles dans le vinaigre. Les bulles de gaz réagissent avec le liquide vaisselle pour former de la mousse. La réaction est si forte que de la mousse sort par la gueule du monstre.

Le bicarbonate de soude a été inventé au départ pour faire lever le pain et les gâteaux. Une réaction semblable se produit dans les préparations qui servent à faire les gâteaux. Les bulles de gaz carbonique font lever le mélange.

La danse des raisins secs et d'autres expériences simples et amusantes à réaliser. Pour le lien vers ce site, connecte-toi à **www.usborne-quicklinks.com/fr**

Le papier maison

Le papier se compose souvent de milliers de fibres de bois très longues et très très fines, serrées les unes contre les autres. On peut les séparer et les réutiliser pour en faire à nouveau du papier. Dans cette expérience, tu pourras fabriquer du papier recyclé chez toi.

Entoure un élastique à chaque bout pour maintenir le collant en place.

Tu peux fabriquer des feuilles de papier de textures diverses.

1. Courbe la base d'un cintre en fil de fer pour former un carré. Enfile dessus une des jambes d'un vieux collant pour faire un écran.

2. Étale plusieurs couches de journal sur un plateau. Puis couvre-les avec une couche ou deux d'essuie-tout.

Celui-ci contient des bouts de coton hydrophile, ce qui le rend plus résistant.

Rajoute un peu d'eau si nécessaire.

Frotte le mélange entre les doigts pour mieux le réduire en bouillie.

3. Déchire du papier brouillon mince en petits morceaux dans un saladier. Il te faut à peu près l'équivalent de quatre tasses.

4. Ajoute de l'eau, juste assez pour couvrir le papier. Laisse tremper une heure. Ajoute une cuillerée à soupe de colle PVA.

5. Avec les doigts, réduis le papier en morceaux plus petits. Au bout de 10 minutes environ, il formera une bouillie épaisse.

Étale avec une cuillère.

6. Pour rendre le papier plus solide, mélange des bouts de coton hydrophile. Termine avec colorant alimentaire ou paillettes.

7. Mets l'écran sur l'essuie-tout dans le plateau. Verse le mélange dessus et étale-le en une couche fine et uniforme.

8. Mets un sac en plastique sur la pâte. Passe dessus avec un rouleau à pâtisserie pour l'uniformiser et éliminer l'eau.

Ce papier est décoré
de morceaux de fil
de coton et de laine.

Ce papier contient des paillettes.

Explication

Les fibres du papier se séparent quand on le trempe et qu'on le frotte. En écrasant la pâte, on recolle ensemble les fibres. La colle facilite la séparation des fibres.

Ce procédé est semblable à celui utilisé dans les usines de recyclage du papier. Là, pour décomposer le papier qui trempe dans de grandes cuves, on met des produits chimiques à la place de la colle. Pour comprimer et étaler le mélange, on utilise des rouleaux très lourds.

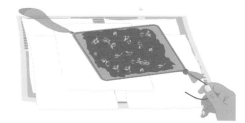

9. Enlève le sac en plastique et l'écran. Dépose celui-ci sur d'autres journaux et serviettes en papier. Laisse sécher.

Ton papier
sera assez raide.

10. Au bout de trois jours, la pâte devrait être complètement sèche. Décolle-la de l'écran. Ton papier recyclé est terminé.

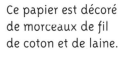

On te montre ici comment fabriquer une crèche de Noël en papier mâché.
Pour le lien vers ce site, connecte-toi à **www.usborne-quicklinks.com/fr**

Des fleurs flottantes

Quand le papier est mouillé, les minces fibres de bois qui le composent absorbent l'eau. Cela fait gonfler le papier, qui grossit un peu. Cette expérience, avec laquelle tu pourras étonner tes amis, te permettra d'observer ce qui se passe.

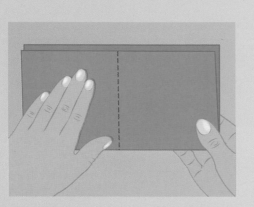

1. Découpe un carré de papier d'environ 15 x 15 cm. Plie-le en deux dans un sens, puis dans l'autre.

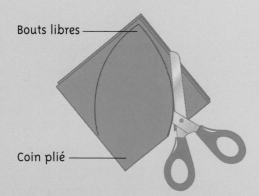

Bouts libres

Coin plié

2. Dessine la forme d'un pétale sur le papier, en commençant du côté du coin plié, comme ci-dessus. Découpe-le.

3. Déplie le morceau de papier. Replie le bout de chaque pétale jusqu'au milieu — l'endroit où les pliures se croisent.

4. Sur du papier de couleur vive, dessine un ovale et six pattes, puis découpe : c'est l'insecte qui se cachera dans la fleur.

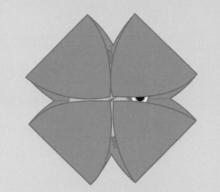

5. Découpe deux élytres et les yeux dans du papier de couleur différente et colle-les sur le corps de l'insecte.

6. Mets l'insecte dans la fleur. Replie les pétales dessus. Remplis d'eau l'évier et pose la fleur dessus. Que se passe-t-il.

Explication

En absorbant l'eau, les fibres du papier gonflent et le papier se dilate. Ce léger mouvement fait s'ouvrir la fleur. La rapidité d'absorption du papier varie selon son type. Lorsqu'il est mince, comme le journal, il absorbe l'eau très vite. Dans ce cas, la fleur s'ouvre immédiatement. D'autres types, avec des fibres plus épaisses, mettent plus longtemps à absorber l'eau.

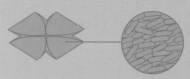

Le papier reste aplati quand il est sec.

Quand les fibres gonflent, le papier se dilate et les pétales de la fleur s'ouvrent.

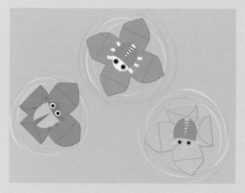

7. Fabrique d'autres fleurs dans des papiers différents et fais-les flotter. Certaines s'ouvrent-elles plus vite que d'autres ?

Tu peux aussi faire une foule d'insectes différents.

Réactions en chaîne

Les substances qui composent les aliments sont formées de longues chaînes repliées de molécules. Elles sont si petites qu'on ne les voit pas ; mais elles donnent parfois des effets surprenants quand on les mélange à d'autres substances. Ces expériences nécessitent un peu de cuisine.

Des décorations en lait

Ces étoiles sont décorées de paillettes.

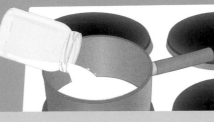

Utilise du colorant alimentaire.

1. Remplis un bocal à moitié de lait et verse dans une casserole. Fais chauffer doucement sur la cuisinière sans laisser bouillir.

2. Éteins le feu. Verse une goutte de colorant et deux cuillères à soupe de vinaigre. Remue jusqu'à obtention de grumeaux.

Fixe-le avec un élastique.

Il ne restera que les grumeaux.

Papier sulfurisé

Emporte-pièce

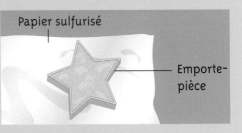

3. Coupe le pied d'un collant. Place le bout dans le bocal et replie le haut sur les côtés, pour faire une passoire.

4. Verse le lait dans la passoire et attends 10 minutes. Essore le collant pour éliminer le reste du lait dans le bocal.

5. Sors les grumeaux de la passoire et malaxe-les pour en faire une pâte. Moule la pâte dans un emporte-pièce.

La pâte n'est pas comestible !

6. Enlève l'emporte-pièce. Mets la forme sur du papier. Il faut attendre deux jours pour qu'elle sèche.

Explication

Le lait contient des chaînes (la caséine), en général repliées sur elles-mêmes et dissoutes. Si on ajoute du vinaigre, elles changent de forme et se transforment en grumeaux de plastique solides.

 Tu trouveras ici une petite rubrique sur l'origine et l'usage des plastiques. Pour le lien vers ce site, connecte-toi à www.usborne-quicklinks.com/fr

Les meringues

1. Tapisse le fond d'une plaque de cuisson de papier sulfurisé. Fais chauffer le four à 110 °C (thermostat ¼).

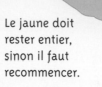

Le jaune doit rester entier, sinon il faut recommencer.

2. Casse un œuf sur le bord d'un saladier. Ouvre doucement la coquille et verse le blanc et le jaune dans une soucoupe.

Tu peux manger les meringues.

En cassant une meringue, on voit bien sa texture mousseuse.

Fais couler le blanc d'œuf.

Avec un fouet électrique, ça va plus vite !

3. Renverse une petite tasse sur le jaune et fais couler le blanc dans le saladier. Tu n'auras pas besoin du jaune.

4. Bats le blanc en neige. Au bout d'environ 15 minutes, il forme une mousse épaisse et bien ferme qui colle au fouet.

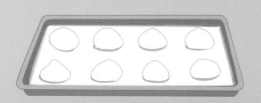

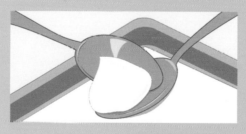

5. Ajoute 50 grammes de sucre en poudre, une cuillerée à café à la fois. Bats le mélange après chaque cuillerée.

6. Prends une bonne cuillerée à café de ce mélange et fais-la glisser sur le papier sulfurisé à l'aide d'une autre cuiller.

Explication

Le blanc d'œuf contient des chaînes de molécules appelées albumine. En fouettant le blanc, on incorpore des bulles d'air. L'albumine retient les bulles, ce qui fait une mousse. Quand on la fait cuire, elle durcit et forme les meringues.

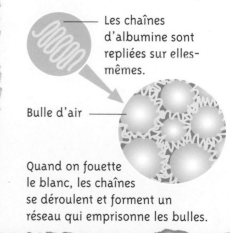

Les chaînes d'albumine sont repliées sur elles-mêmes.

Bulle d'air

Quand on fouette le blanc, les chaînes se déroulent et forment un réseau qui emprisonne les bulles.

Utilise des maniques.

7. Répète l'opération en laissant un bon espace entre chaque cuillerée. Mets la plaque au four et fais cuire 45 minutes.

8. Éteins le four ; laisse les meringues au four encore 15 minutes. Ensuite, sors-les et laisse-les refroidir.

Les cristaux

Des cristaux de sucre

Tu penses peut-être que les cristaux sont des pierres précieuses chères, mais on les trouve dans beaucoup d'objets quotidiens, dont le sel. Les cristaux sont des solides composés de particules disposées selon une forme géométrique. Avec ces expériences, tu pourras faire toi-même des cristaux.

Des cristaux de sel d'Epsom

Des cristaux de sucre

1. Remplis une tasse à moitié avec de l'eau chaude. Dissous dedans deux cuillerées à soupe de sucre en remuant.

2. Couvre deux petites assiettes de papier aluminium et verse deux cuillerées à soupe du liquide sur chacune d'elles.

Tu peux les manger !

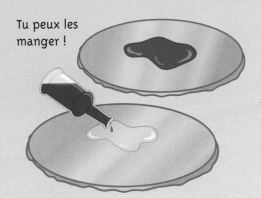

3. Ajoute du colorant alimentaire de couleur différente sur chacune. Mets dans une pièce chaude. Trois jours après, des cristaux se forment.

Des cristaux de sel

Le sel d'Epsom s'achète en pharmacie.

1. Remplis à moitié une tasse avec de l'eau chaude. Dissous dedans deux cuillerées à soupe de sel d'Epsom.

Tu verras mieux les cristaux sur une assiette sombre. Ne les mange pas !

2. Verse deux cuillerées à soupe du liquide sur une petite assiette. Les cristaux mettront deux jours à se former.

Explication

L'eau des assiettes s'évapore dans l'air et se transforme en vapeur d'eau : des particules d'eau minuscules, si éloignées les unes des autres qu'elles forment comme un gaz. Si tu places les assiettes dans une pièce où il fait chaud, l'eau s'évapore plus vite. Quand toute l'eau s'est évaporée, il ne reste plus que les cristaux.

Des cristaux suspendus

Quand une couche se forme au fond, il y a saturation.

1. Remplis deux bocaux d'eau chaude. Mélange dans chacun six cuillerées à café de bicarbonate de soude, jusqu'à saturation.

2. Mets les bocaux au chaud dans un endroit où personne ne risque de les déplacer. Pose entre eux une petite assiette.

Il ne faut pas que la laine touche l'assiette.

3. Coupe un bout de laine de la longueur de ton bras. À chaque bout, attache un trombone que tu placeras dans les bocaux.

4. Attends une semaine. Des cristaux vont se former le long de la laine et pendent au-dessus de l'assiette.

Explication

La laine absorbe le mélange. Quand l'eau s'évapore, il ne reste que des cristaux de bicarbonate de soude. Les cristaux suspendus apparaissent lorsque le mélange s'égoutte de la laine et s'évapore. Avec un peu de chance, tes cristaux descendront peut-être jusqu'à l'assiette, comme une stalactite.

Attention en versant l'eau chaude !

Cristaux de bicarbonate de soude

Une rubrique pour en savoir plus sur la formation de la neige. Pour le lien vers ce site, connecte-toi à **www.usborne-quicklinks.com/fr**

Le trombone empêche la laine de glisser hors du bocal.

Le temps

Les météorologistes surveillent le temps pour savoir comment il va évoluer. Dans ces expériences, tu peux enregistrer la direction du vent, mesurer la quantité de pluie tombée et la pression atmosphérique, et faire un modèle d'une violente perturbation atmosphérique.

Cette girouette indique dans quel sens souffle le vent.

Une girouette

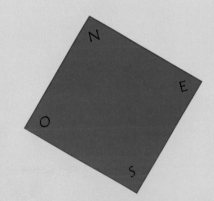

Prends un crayon avec gomme au bout.

Fixe le gobelet avec de la pâte à modeler.

1. Avec une punaise, perce un trou au fond d'un gobelet en plastique. Enfonce un crayon dedans et fixe à une assiette.

2. Découpe un carré de carton de couleur et inscris Nord, Sud, Est et Ouest sur chaque angle, comme ci-dessus.

3. Découpe un trou au milieu du carton que tu enfonces sur le crayon. Puis, découpe deux petits triangles dans du carton.

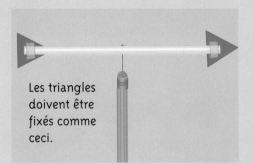

Les triangles doivent être fixés comme ceci.

4. Scotche les triangles à chaque bout d'une paille. Enfonce une épingle au milieu de la paille, puis dans la gomme.

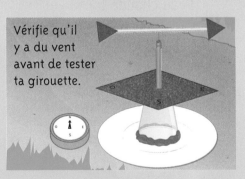

Vérifie qu'il y a du vent avant de tester ta girouette.

5. Place la girouette dehors et vérifie que le N correspond au nord sur une boussole. De quel côté le vent la fait-il tourner ?

Explication

Le vent souffle sur la girouette et la fait tourner jusqu'à ce que la flèche indique la direction d'où vient le vent. Tu peux faire un tableau pour montrer d'où il souffle chaque jour. C'est la direction du vent qui aide les météorologues à prévoir le temps qu'il fera.

 Fabrique quelques-uns des instruments utilisés en météorologie. Pour le lien vers ce site, connecte-toi à **www.usborne-quicklinks.com/fr**

Un pluviomètre

Choisis un jour où il pleut pour tester ton pluviomètre.

Enlève le bouchon.

Pour que le vent ne la renverse pas, entoure-la de cailloux ou enfonce-la dans la terre.

1. Coupe le tiers supérieur d'une grande bouteille en plastique. Retourne le haut et enfonce-le dans le bas. Mets-la dehors.

2. Tous les jours, mesure avec une règle la quantité de pluie tombée. Puis vide la bouteille et note tes observations.

Explication

Mesurer et enregistrer la quantité de pluie est important, car l'eau est vitale. Les météorologues comparent le niveau des précipitations dans plusieurs pays à différents moments de l'année pour voir si le climat change et comment.

La pression atmosphérique

Fixe le ballon avec un élastique.

La paille bouge légèrement quand le temps change.

1. Sur un bocal, étire un ballon dont tu as coupé l'embout. Au milieu, fixe l'un des bouts d'une paille, comme ceci.

2. Fixe du bristol derrière le bocal. Marque dessus la hauteur de la paille. Attends un jour ou deux. La paille a-t-elle bougé ?

Explication

Le changement ne sera peut-être pas très marqué. Mais si la paille remonte, c'est que l'air appuie sur le ballon et que la pression atmosphérique est élevée. Si celle-ci diminue, l'air dans le bocal pousse sur le ballon et la paille s'incline vers le bas.

Une tornade dans un bocal

Plusieurs essais seront peut-être nécessaires pour faire tourbillonner le contenu.

1. Remplis un bocal aux trois quarts avec de l'eau. Ajoute une cuillerée à café de liquide vaisselle et une de vinaigre.

2. Visse le couvercle du bocal et agite-le en un mouvement circulaire. Une tornade va se former à l'intérieur.

Explication

Les liquides forment un tourbillon semblable au cyclone qui peut se produire dans un orage violent. Le cyclone est une colonne d'air qui tournoie, due à des changements de température et de direction du vent.

La force du vent et de l'eau

La majeure partie de l'énergie que nous utilisons pour produire de l'électricité vient du charbon, du gaz et du pétrole. Mais un jour, ces réserves en combustibles de la Terre s'épuiseront. Il faudra donc se servir d'autres sources d'énergie, comme le vent et l'eau, qui eux sont inépuisables. Ces expériences montrent comment les utiliser pour produire de l'énergie.

L'énergie éolienne

Pour trouver le milieu, plie le carré dans un sens puis dans l'autre.

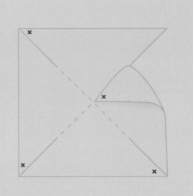

1. Découpe un carré de couleur vive de 10 x 10 cm. Puis fais une entaille à chaque angle, jusqu'au milieu, comme ceci.

2. Replie les angles marqués d'une croix vers le milieu et colle-les. Les plis doivent rester courbes, pas aplatis.

3. À l'aide d'un crayon, perce un trou au milieu et enfonce une paille. Fixe-la avec un morceau de pâte adhésive.

Fais glisser jusqu'au dos du moulin.

La boule a la taille d'un petit pois.

4. Avec du ruban adhésif, fixe un trombone à une autre paille. Puis glisse la paille du moulin dans le trombone.

5. Coupe un morceau de fil de la longueur des deux pailles. Colle une boule de pâte adhésive à l'un des bouts.

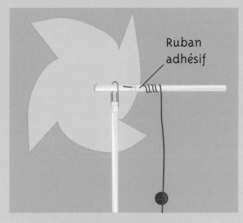

Ruban adhésif

6. Fixe le fil à la paille du moulin et enroule-le en partie autour, en laissant pendre un morceau.

7. En tenant l'autre paille, souffle sur le côté du moulin. Celui-ci se met à tourner et à enrouler le fil.

Explication

Ton souffle, comme le vent, fait tourner le moulin. Il produit assez d'énergie pour soulever la boule de pâte. Les éoliennes, bien que beaucoup plus grandes, fonctionnent de la même façon. Elles font tourner des machines qui fournissent de l'énergie à des générateurs pour produire de l'électricité.

L'énergie hydraulique

Élargis les trous avec un crayon.

1. Coupe le haut d'une grande bouteille en plastique. Avec une punaise et un crayon, perce six trous autour de la base.

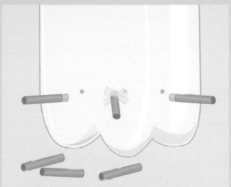

2. Coupe une paille en six morceaux d'environ 2 cm et enfonce-les dans les trous. Fixe-les avec du ruban adhésif.

3. Perce trois trous dans le bord supérieur de la bouteille et attache un morceau de ficelle dans chacun. Relie ensuite ces ficelles par une quatrième.

Les ficelles doivent être de la même longueur.

4. Installe-toi au-dessus de l'évier ou dehors, puis verse une carafe d'eau dans la bouteille. En s'écoulant par les six trous, l'eau la fait tourner.

Explication

L'énergie venant de l'eau qui se déverse par les trous fait tourner la bouteille. C'est ainsi que les centrales hydrauliques exploitent, à une échelle beaucoup plus grande, les chutes d'eau et leur énergie. L'eau fait tourner d'énormes roues appelées turbines. Celles-ci actionnent des machines appelées générateurs, qui produisent de l'électricité.

 Un site plein d'activités pratiques pour mieux comprendre l'énergie éolienne. Pour le lien vers ce site, connecte-toi à **www.usborne-quicklinks.com/fr**

Des graines qui germent

Quand une graine germe, une racine blanche minuscule et une pousse verte apparaissent. Découvre de quoi ont besoin les graines pour se transformer en plantes vigoureuses. Tu peux utiliser haricots, pois chiches et pépins de fruits.

Concours de croissance

1. Prends trois assiettes et sur chacune, dépose dix morceaux de papier essuie-tout ainsi qu'un emporte-pièce.

2. Avec une cuillère, verse de l'eau sur deux des assiettes pour mouiller l'essuie-tout. Écris « sec » sur la troisième.

3. Répands des graines de cresson dans chaque emporte-pièce. Étale-les bien du bout du doigt jusqu'au bord.

4. Enlève les emporte-pièce avec précaution. Place une assiette humectée dans un placard et les deux autres près d'une fenêtre.

5. Chaque jour, arrose l'essuie-tout des assiettes « humides ». Attention, ne mets pas d'eau sur les graines.

Les pousses devraient suivre les contours de l'emporte-pièce.

6. Au bout d'une semaine, certaines des graines auront germé. Dans quelle assiette sont-elles les plus vigoureuses ?

Explication

Les graines privées d'eau ne poussent pas du tout, car elles en ont besoin pour germer. Quand elles ont germé, il leur faut de la lumière pour faire leur nourriture : les pousses du placard sont jaunes. Les plus fortes sont celles de la fenêtre, car elles ont eu eau et lumière.

Cultive des pommes de terre hors sol, par exemple sur un balcon. Pour le lien vers ce site, connecte-toi à **www.usborne-quicklinks.com/fr**

70

Des petites pousses

Tu peux utiliser des pois chiches ou n'importe quel haricot sec, comme des flageolets.

1. Remplis deux verres d'eau. Mets à tremper une journée quatre pépins de citron dans l'un et quatre haricots dans l'autre.

2. Remplis deux bocaux d'essuie-tout ou de serviettes en papier. Puis mouille bien le papier avec de l'eau.

Les graines doivent être visibles à travers la paroi.

3. Égoutte les graines. Enfonce les haricots contre la paroi de l'un des bocaux et les pépins de citron contre celle de l'autre.

4. Enferme les bocaux dans un placard, au chaud. Inspecte-les tous les jours et rajoute de l'eau au besoin.

Explication

En mettant les graines dans un placard, tu les encourages à chercher la lumière et à germer. Quand elles ont germé, pour bien pousser, il leur faut à la fois de la lumière et de l'eau. Les haricots et les poids chiches germent rapidement. La plupart des espèces de haricots meurent au bout d'une année. Les citronniers vivent des années, mais leurs graines mettent parfois plusieurs semaines à germer.

Les haricots devraient germer au bout de quelques jours. Les pépins sont plus longs.

5. Quand haricots et pépins ont germé, place les bocaux à la lumière, sur un appui de fenêtre. Le papier doit rester humide.

Dans les pots, les pousses auront assez de place.

6. Des racines apparaissent. Au bout d'une semaine ou deux, plante, racines en bas, dans des pots de terreau. Arrose.

Ces pois chiches ont été plantés il y a huit jours.

Ces haricots ont aussi été plantés il y a huit jours.

Ce jeune citronnier a germé il y a un an.

Le sol

La terre ne paraît guère intéressante, mais elle grouille de vie et est essentielle à la croissance des végétaux. Ces expériences t'aideront à découvrir ce qui se cache sous tes pieds et de quoi se compose le sol.

Cloporte

Armadille

Recensement

C'est plus facile si tu perces d'abord un trou avec une punaise.

1. Coupe le haut d'une grande bouteille en plastique. Enlève le capuchon et enfonce le haut à l'envers dans le bas.

2. Remplis le haut de terre. Prends de la terre sur laquelle il y a des feuilles mortes, car on y trouve beaucoup de bestioles.

3. Place-la sous une lampe pendant deux heures. Certaines bestioles se mettent à creuser et tombent au fond de la bouteille.

Si tu ne vois aucune bestiole, essaie avec un nouvel échantillon de terre.

4. Reconnais-tu certaines des bestioles ? Examine-les avec une loupe. Puis remets-les dans ton jardin.

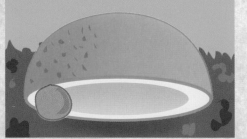

Appuie-la sur un petit caillou pour que les insectes puissent y pénétrer.

5. Tu peux essayer d'attirer des insectes avec la peau d'une demi-orange. Pose-la sur la terre à l'envers. Inspecte-la le lendemain.

Explication

Les bestioles s'enfouissent pour se cacher de la chaleur et de la lumière. Celles que tu trouveras dépendront de l'endroit où tu vis, de celui où tu as pris la terre et du moment de l'année. L'été est sans doute la saison idéale. Dans la bouteille, il y aura peut-être des coléoptères ou des vers de petite taille, dans l'orange, des animaux plus grands, tels cloportes, limaces, escargots et fourmis.

Une courte rubrique sur le sol, avec des expériences simples proposées.
Pour le lien vers ce site, connecte-toi à **www.usborne-quicklinks.com/fr**

Qu'y a-t-il dans ta terre ?

1. Remplis à moitié un bocal avec de la terre de ton jardin. Puis rajoute de l'eau presque jusqu'en haut.

2. Visse le couvercle et secoue le bocal pendant une minute. L'eau et la terre se mélangent pour former de la boue.

3. Laisse reposer pendant une heure environ. Les particules du mélange se déposent en couches selon leur poids.

Iule

Limace

Perce-oreilles

Clytes béliers

Cafards

Scolopendres

Bousiers

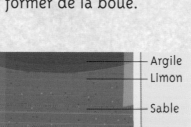

Argile
Limon
Sable
Gravier

4. L'épaisseur des couches varie selon la terre de ton jardin. Mais elles devraient se déposer à peu près dans cet ordre.

La terre la meilleure se compose d'argile, de sable et de limon.

6. L'une des couches sera peut-être plus épaisse que les autres. Tu sauras ainsi quel type de sol se trouve dans ton jardin.

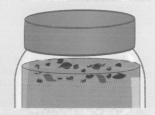

5. Dans les couches, tu verras peut-être bestioles et bouts de végétaux en décomposition. Certains flotteront à la surface.

Cerf-volant

Explication

Les éléments de la terre les plus lourds se déposent au fond, les plus légers, au-dessus. La terre la meilleure se compose de couches égales : elle contient un peu de chaque élément. Les sols argileux renferment beaucoup des substances dont les plantes ont besoin pour se développer, mais ils sont mal drainés. Les sols sableux sont bien drainés mais ont peu de substances nutritives. Le limon est plus fin et est entre l'argile et le sable, mais il ressemble plus à l'argile.

Drôles de bestioles

Les animaux ont des comportements fascinants et les insectes les plus petits sont plus malins qu'on ne le croit. Avec ces expériences tu découvriras comment les fourmis s'organisent et tu observeras comment les vers aident les plantes à pousser.

Les fourmis travaillent en équipe et forment des files bien ordonnées, comme celle-ci.

À la queue leu leu

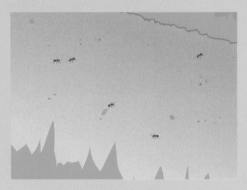

1. D'abord, il te faut des fourmis. Tu devras peut-être attendre l'été pour en trouver dans ton jardin.

Si elle ne remarque pas ta tranche, pose-la une nouvelle fois devant elle.

2. Quand tu trouves une fourmi, pose une tranche de fruit devant elle. Elle en mangera peut-être ou en emportera des morceaux.

Une fourmi en attire d'autres et elles vont former une file.

3. Au bout d'une heure, inspecte la tranche. D'autres fourmis sont-elles arrivées ? Si oui, que font-elles ?

4. Quand il y a beaucoup de fourmis près du fruit, pose-le un peu plus loin. Que vont-elles faire alors ?

Explication

Les fourmis représentent un des meilleurs exemples d'insectes qui travaillent en équipe. Elles vivent ensemble en grandes communautés et elles s'entraident. Par exemple, quand une fourmi trouve à manger, elle y amène les autres pour qu'elles puissent se servir. Elles se suivent en formant de longues files. Elles vont et viennent, transportant la nourriture par petits morceaux jusqu'à la fourmilière. Si tu déplaces le fruit, elles le retrouvent, mais au lieu de s'y rendre directement, elles se suivent les unes les autres en passant toujours par l'ancienne piste.

Un élevage de vers de terre

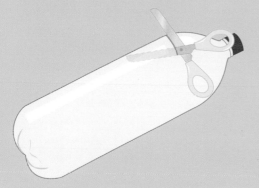

1. Avec une punaise, perce un trou en haut d'une grande bouteille plastique. Puis coupe le haut, comme ceci.

Si tu n'as pas de sable, essaie de trouver plusieurs couleurs de terre.

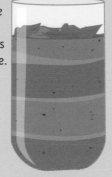

2. Remplis en alternant couches de terre et de sable plus fines. Termine par des feuilles mortes et quatre cuillerées à café d'eau.

Les vers de terre se cachent souvent sous des feuilles mortes.

3. Creuse dans la terre pour trouver deux ou trois vers de terre. Dépose-les doucement dans la bouteille.

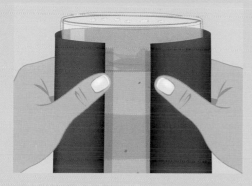

4. Couvre le haut de la bouteille de film alimentaire et fais-y des trous avec un crayon. Scotche du papier sombre sur les côtés.

Le papier a été enlevé.

5. Arrose tous les jours avec deux cuillerées à café d'eau pour que le sol reste humide. Au bout de deux semaines, ôte le papier.

6. Les vers de terre ont mélangé la terre et fait des tunnels. Remets la terre et les vers de terre où tu les a trouvés.

Explication

En creusant leurs tunnels, les vers de terre mélangent tout. Les différentes couches de terre et de sable permettent de voir plus facilement ce qu'ils font. Ils sont très utiles au jardin car, avec leurs tunnels, ils aèrent la terre et canalisent l'eau. Ils entraînent des feuilles mortes sous la terre pour les manger. Ils mélangent ainsi des substances nutritives à la terre. Par leur action, ils apportent aux plantes tout ce dont elles ont besoin pour pousser avec vigueur.

Une vidéo pour observer des fourmis champignonnistes et le monde du ver de terre. Pour les liens vers ces sites, connecte-toi à **www.usborne-quicklinks.com/fr**

À la chasse aux papillons

Vulcain

Les papillons de jour et de nuit ont un cycle de vie bref mais fascinant. D'abord terrestres, ils finissent leur vie avec des ailes. Ces expériences te permettront d'observer la métamorphose d'une chenille en un papillon et de savoir comment les attirer dans ton jardin. Pour les réussir, attends la fin du printemps ou l'été.

Argus bleu-nacré

Citron

Monarque

De la chenille au papillon

Ne mets pas la boîte au soleil.

Les feuilles doivent venir de la plante sur laquelle tu as trouvé la chenille.

1. Avec un crayon, perce des trous dans le couvercle d'un grand pot en plastique. Mets dedans des brindilles de la taille du crayon.

2. Cherche une chenille sur une feuille. Place-la avec sa feuille et d'autres feuilles de la même plante dans la boîte.

3. Mets le couvercle et place dans un endroit chaud. Tous les jours, inspecte la chenille et donne-lui des feuilles fraîches.

Dans un endroit chaud, elle devrait éclore en dix jours maximum. Si rien ne se passe, remets-la dans le jardin.

Explication

Les brindilles fournissent à la chenille un endroit où elle peut filer sa carapace protectrice, appelée cocon ou chrysalide. À l'intérieur, bien protégée, elle se transforme en un papillon. La plante sur laquelle tu as trouvé la chenille est sans doute celle dont elle se nourrit.

4. Au bout d'une quinzaine de jours, la chenille devrait avoir une carapace protectrice dure, de couleur marron.

5. Inspecte à présent la boîte deux fois par jour. Dès que tu vois un papillon, sors la boîte dans le jardin et libère-le.

 Une rubrique sur que planter pour attirer quels papillons dans son jardin. Pour le lien vers ce site, connecte-toi à www.usborne-quicklinks.com/fr

Paon du jour

Une mangeoire à papillons

Fais un nœud
à chaque bout.

1. Avec une punaise, perce un trou de chaque côté du bord d'un gobelet en plastique. Attaches-y un bout de ficelle.

2. Perce un trou au fond du gobelet avec une punaise. Enfonce un stylo à bille dans le trou pour l'élargir.

Les pétales doivent dépasser du fond du gobelet.

3. Enfonce un petit morceau de coton hydrophile dans le trou, de manière qu'il dépasse des deux côtés du gobelet.

4. Découpe des pétales dans des sacs en plastique de couleur vive. Colle-les autour du coton, pour faire une fleur.

Explication

L'eau sucrée est semblable au nectar, le liquide sucré que les papillons boivent dans les fleurs. Les pétales de couleurs vives attirent ceux-ci vers la mangeoire. Ils peuvent alors aspirer l'eau sucrée absorbée par le coton.

Le papillon possède une trompe, un long tube qui lui sert à boire le nectar des fleurs.

Ne te tiens pas trop près : tu risques d'effaroucher les papillons.

5. Verse neuf cuillerées à soupe d'eau dans une carafe. Dissous dedans une cuillerée à soupe de sucre. Verse dans le gobelet.

6. Suspends la mangeoire à une branche. Surveille-la au cours de la journée. Des papillons s'y nourrissent-ils ?

Les organismes invisibles

Tout autour de nous se trouvent des milliers d'êtres vivants minuscules, les microorganismes. Ils sont si petits qu'on les voit seulement au microscope. La levure se compose de microorganismes qui font lever la pâte du pain. Voici une expérience et une recette pour en observer les effets.

Gonflé à la levure

une cuillerée = 1 c.

1. Mélange 2 c. à café de levure de boulanger en poudre à 2 c. à soupe d'eau tiède. Ajoute 1 c. à café de sucre. Verse dans une petite bouteille en verre.

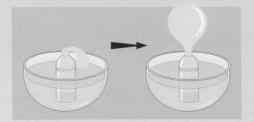

2. Mets un ballon sur le goulot de la bouteille. Place celle-ci dans un saladier d'eau tiède et attends de 20 à 30 minutes. Le ballon se met à gonfler.

Explication

La levure en poudre ne réagit que si on ajoute de l'eau et du sucre. Puis, elle commence à se nourrir du sucre. Ce faisant, elle produit du gaz carbonique qui fait gonfler le ballon.

Les petits pains

Ingrédients :

- 235 ml d'eau tiède
- 1 cuillerée à café de sucre
- 2 cuillerées à café de levure en poudre
- 350 grammes de farine
- 1 pincée de sel
- 1 cuillerée à café de beurre

1. Dans de l'eau tiède, dissous une cuillerée à café de sucre et deux de levure en poudre. Laisse reposer 10 minutes.

2. Dans un saladier, mets la farine, une grosse pincée de sel et une cuillerée à café de beurre.

 Les microorganismes expliqués clairement et simplement, avec un jeu. Pour le lien vers ce site, connecte-toi à www.usborne-quicklinks.com/fr

Soulève le mélange et laisse-le retomber en frottant.

3. Mélange le beurre, la farine et le sel en les malaxant par petites quantités du bout des doigts.

4. La préparation va finir par ressembler à du sable grossier. Fais alors un trou au milieu et verses-y la levure.

Des cellules de levure, vues au microscope.

Si la pâte reste collante, ajoute un peu de farine.

5. Mélange de nouveau le tout du bout des doigts. Au début, la pâte est collante, mais elle va devenir lisse.

Pétris avec tes articulations.

6. Saupoudre un peu de farine sur le plan de travail. Pétris la pâte en l'étirant et en la repliant pendant 10 minutes.

Le gaz venant de la levure la fait lever et grossir.

7. Remets alors la pâte dans le saladier. Couvre-le de film alimentaire et mets une heure et demie dans un endroit chaud.

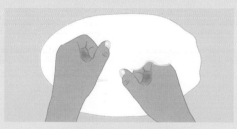

8. Sors la pâte du saladier et pétris-la pendant encore 3 minutes. Puis divise-la en douze morceaux égaux.

Graisse les plaques au beurre ou à l'huile.

9. Roule les morceaux en boule. Répartis les petits pains sur deux plaques de cuisson graissées. Couvre de film alimentaire.

Explication

Ajoutée à la farine, la levure produit des bulles de gaz carbonique. Prises dans la pâte, celles-ci la font gonfler. Quand le pain est cuit, on voit les bulles emprisonnées : elles forment des trous minuscules.

10. Laisse gonfler une demi-heure. Pendant ce temps, préchauffe le four à 230 °C (thermostat 8).

Utilise des maniques.

Tu peux les manger.

11. Enlève le film alimentaire. Mets ensuite les petits pains au four 12 minutes. Sors-les et laisse-les refroidir.

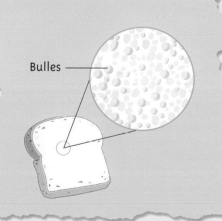

Bulles

Ouvre grand

As-tu remarqué que les aliments ont moins de goût quand tu es enrhumé ? Dans ces deux pages, tu vas découvrir l'importance de l'odorat et de la salive. Tu apprendras également quelle partie de ta langue te permet de goûter quelle saveur.

Une langue vue au microscope. Les grands cercles rouges sont les papilles gustatives.

Le plan de la langue

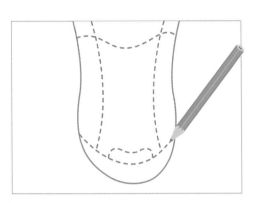

1. Dessine une langue sur un morceau de papier. Trace dessus des lignes délimitant les différentes zones de la langue.

2. Dans quatre gobelets en plastique, verse un liquide différent : jus de citron, café noir froid, eau salée et sucrée.

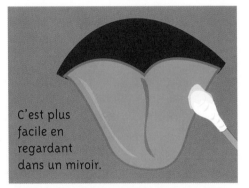

C'est plus facile en regardant dans un miroir.

3. Trempe un bâtonnet ouaté dans le jus de citron, puis tamponne les différentes zones que tu as délimitées sur le plan.

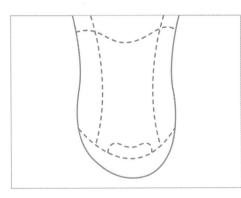

4. Le citron a-t-il plus de goût sur une partie de la langue que sur une autre ? Indique le résultat sur ton plan.

5. Rince-toi la bouche. Puis recommence avec les autres liquides. Indique également les résultats sur le plan.

Explication

Certains scientifiques pensent que les différentes zones de la langue permettent au cerveau de reconnaître différentes saveurs. Ils pensent que les saveurs amères sont détectées au fond, les saveurs sucrées à l'avant, les saveurs acides sur les côtés, et les salées au bout. D'autres pensent que les différentes zones de la langue sont capables de détecter toutes les saveurs. Et toi, qu'en penses-tu ?

Tu trouveras ici des expériences sur les cinq sens. Amusant et instructif ! Pour le lien vers ce site, connecte-toi à **www.usborne-quicklinks.com/fr**

Le pouvoir de l'odorat

1. Dans cinq gobelets en plastique, verse cinq boissons différentes. Utilise lait, eau, jus de fruits et boissons gazeuses.

2. Étiquette le contenu des gobelets. Demande à un ami de les mélanger pour t'empêcher de savoir ce qu'ils contiennent.

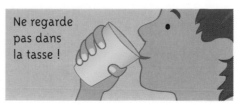

3. Demande à ton copain de te passer une boisson à la fois. Bois une gorgée. Arrives-tu à les distinguer ?

4. Répète l'opération, mais cette fois-ci, pince-toi le nez en buvant. Arrives-tu encore à distinguer les saveurs ?

Explication

Le nez est beaucoup plus sensible que la langue. Sans lui, il est très difficile de distinguer les saveurs. Habituellement, on ne le remarque pas parce qu'on perçoit le goût et l'odeur des aliments en même temps. Quand on se pince le nez, on s'aperçoit que le goût vient surtout de l'odorat.

L'ingrédient magique

1. Sur une assiette, dépose de petites quantités d'aliments secs : du sel, du sucre, un morceau de biscuit et une chips.

2. Tire la langue et tamponne-la avec de l'essuie-tout pour bien la sécher. Ensuite, ne rentre pas la langue.

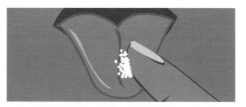

3. Dépose un peu de sel sur ta langue avec un doigt propre. En perçois-tu le goût ? Rince-toi la bouche avec de l'eau.

4. Essaie de même avec les autres aliments en te rinçant la langue et en la séchant à chaque fois. Que se passe-t-il ?

Explication

Pour percevoir le goût des aliments secs, il faut les mélanger avec de la salive. Les papilles gustatives ne peuvent le détecter que lorsque les substances chimiques des aliments ont été dissoutes dans la salive. Si tu te sèches la langue, tu enlèves la salive et as plus de mal à détecter le goût des aliments secs.

Les réactions du corps

Chaque fois que tu déplaces ou touches quelque chose, des centaines de messages sont transmis de tes muscles et de ta peau à ton cerveau. Ils se propagent le long de longues fibres, les nerfs. Mets tes nerfs à l'épreuve avec ces expériences.

Une cellule nerveuse, ou neurone. Elle a été grossie plusieurs fois.

Des doigts gourds

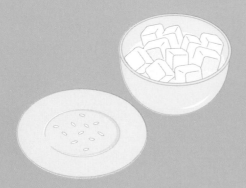

1. Éparpille quelques grains de riz sur une petite assiette. Ensuite, place à côté un petit bol rempli de glaçons.

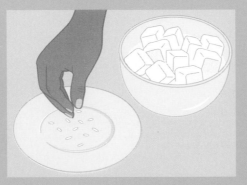

2. Plonge ta main dans le bol pendant 30 secondes. Sèche-la et essaie de ramasser le riz. Que se passe-t-il ?

Explication

Ta main refroidit dans les glaçons. Quand le corps est froid, la peau est moins sensible, ce qui émousse le sens du toucher. Il est alors plus difficile de sentir les grains de riz et de les ramasser.

Le thermomètre manuel

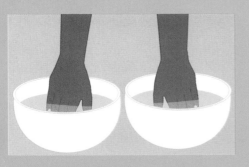

1. Remplis un saladier d'eau froide et un autre d'eau tiède. Plonge ensuite une main dans chaque saladier.

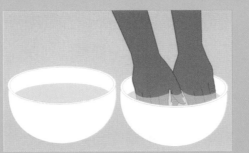

2. Au bout d'une minute, mets dans l'eau tiède la main qui était dans l'eau froide. L'eau paraît-elle plus chaude qu'avant ?

Explication

Les récepteurs situés sous la peau qui servent à détecter le chaud et le froid deviennent moins sensibles en s'adaptant aux différentes températures. L'eau froide diminue la sensibilité des récepteurs du froid et augmente celle des récepteurs du chaud. Quand tu plonges la main dans l'eau chaude, celle-ci paraît plus chaude qu'en réalité.

Teste la rapidité de tes réactions. Faites-le à plusieurs : qui est le plus rapide ? Pour le lien vers ce site, connecte-toi à www.usborne-quicklinks.com/fr

Comme l'éclair

1. Demande à un copain de tenir une règle par un bout. Replie tous tes doigts autour du zéro, au bas de la règle, mais sans la toucher.

2. Demande ensuite à ton copain de lâcher la règle sans te prévenir. Essaie de l'attraper en bas, entre tes doigts.

Explication

Tu rattrapes la règle parce qu'un message est transmis de tes yeux à ta main via ton cerveau. Il s'écoule un léger délai entre la chute de la règle et ta prise, causé par le temps pris pour la transmission du message. En t'exerçant, tu réussis à la rattraper plus vite, mais il y a des limites à la rapidité de la transmission.

3. Vérifie à quel endroit se trouve ton pouce sur la règle. Cette mesure indique la distance parcourue par la règle en tombant.

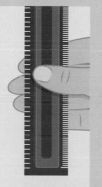

4. Recommence l'expérience plusieurs fois. Arrives-tu à rattraper la règle plus vite en t'exerçant un moment ?

Une peau sensible

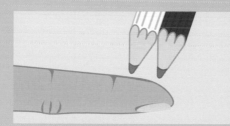

1. Prends deux crayons entre le pouce et l'index, comme ceci. Gribouille avec pour les émousser un peu.

2. En gardant les crayons côte à côte, touche le bout de ton doigt avec les pointes. Sens-tu une pointe ou deux ?

3. Ensuite, touche ta cuisse. Sens-tu les deux pointes ? Sépare-les jusqu'à ce que tu puisses les sentir.

4. Mesure la distance entre les pointes, comme ceci. Cette distance est la mesure de la sensibilité de ta peau.

Explication

Certaines parties du corps, comme le bout des doigts, sont très sensibles et dotées de nombreux récepteurs. Tu perçois donc les deux pointes même si elles sont proches. D'autres parties, telles les jambes, n'ont pas besoin d'être aussi sensibles : les récepteurs sont plus éloignés. Sur ta jambe, tu dois donc écarter davantage les pointes des crayons pour pouvoir les sentir séparément.

Le cœur et les poumons

Le corps a besoin d'oxygène pour avoir de l'énergie. Les poumons absorbent l'oxygène que tu respires dans l'air. L'oxygène est transmis au sang, que le cœur fait circuler dans le corps. Ces expériences étudient la respiration et les raisons pour lesquelles ton cœur bat plus vite quand tu cours.

Les globules rouges du sang vus au microscope.

Un poumon en plastique

1. Coupe la base d'une petite bouteille en plastique. Pour te faciliter la tâche, perce d'abord un trou avec une punaise.

Cette partie est inutile.

2. Fais un nœud dans l'embout d'un ballon. Coupe l'autre bout et étire le ballon sur la base de la bouteille que tu as coupée.

Il n'est pas nécessaire de gonfler le ballon.

3. Enfonce une paille dans l'embout d'un autre ballon. Enroule un élastique sur l'embout pour le maintenir en place.

L'élastique est serré mais n'écrase pas la paille.

4. Enfonce le ballon dans la bouteille en laissant ressortir la paille par le goulot. Bouche le goulot avec de la pâte adhésive.

Bouche avec soin le goulot, sans écraser la paille.

5. Puis tire doucement sur le nœud du ballon enfilé sur la base. Tu vas voir le ballon de l'intérieur se gonfler un peu.

Comme la paille, ta **gorge** et ta **trachée** aspirent l'air dans les poumons.

Les **poumons** se gonflent d'air comme le ballon dans la bouteille.

En montant et en descendant, le **diaphragme** augmente l'espace dans la poitrine, tel le ballon extérieur.

Gorge

Trachée

Poumon   Poumon

Diaphragme

Explication

En tirant sur le ballon extérieur, tu fais de la place à l'intérieur de la bouteille. L'air est aspiré par la paille dans le ballon et prend la place libre. Quand tu lâches le nœud, le ballon se dégonfle. La même chose se produit dans tes poumons quand tu respires.

Un collecteur d'air

1. Remplis d'eau une grande bouteille en plastique et rebouche-la. Plonge la bouteille à l'envers dans un grand bol d'eau et dévisse le bouchon.

2. Enfonce une paille flexible dans le goulot de la bouteille. En la maintenant à la verticale, inspire, puis expire à fond dans la paille. Que se passe-t-il ?

Explication

Quand tu expires, l'air qui se trouvait dans tes poumons est expulsé dans la bouteille. Plus tu expires, plus l'air augmente dans la bouteille et plus l'eau s'écoule. Tu peux ainsi voir combien d'air il y avait dans tes poumons.

Prends ton pouls

Si tu ne sens rien, déplace un peu les doigts.

1. Repose-toi pendant environ 10 minutes.

2. Puis, appuie tes doigts sur ton poignet, juste en dessous de la base du pouce. Tu dois sentir le battement de ton pouls.

3. Avec une montre, compte le nombre de battements par minute. C'est ton pouls au repos.

4. Ensuite, cours sur place pendant 5 minutes.

5. Assieds-toi et reprends ton pouls pendant 1 minute.

6. Attends 5 minutes puis reprends de nouveau ton pouls.

7. Prends-le toutes les 5 minutes jusqu'à ce qu'il soit revenu à la vitesse de repos.

Explication

En faisant circuler le sang dans le corps, le cœur bat. Tu sens ces battements quand tu prends ton pouls. Quand tu cours, la respiration s'accélère pour faire parvenir plus d'oxygène au sang et aux poumons. Ton cœur et ton pouls se mettent à battre plus vite et transmettent l'oxygène plus rapidement aux muscles pour produire davantage d'énergie.

 Tu peux ici te renseigner sur le sang et la circulation sanguine. Pour le lien vers ce site, connecte-toi à www.usborne-quicklinks.com/fr

Trucs de mémoire

Il est souvent difficile de se souvenir des noms de personnes ou de longues listes d'objets. La création de liens entre les différentes informations facilite la tâche. Dans ces deux pages, tu découvriras l'influence des mots et des images sur ton cerveau et tu apprendras des astuces pour améliorer ta mémoire.

Des mots et des images

1. Regarde les images ci-contre et dis à haute voix le nom de chaque animal. Ne lis pas le mot.

2. Maintenant, regarde les images de gauche. Prononce à haute voix le nom des animaux. Est-ce plus difficile ?

Explication

Les premières images sont faciles à nommer parce que les mots situés en dessous leur correspondent. Dans le second groupe, la tâche est plus difficile, car les informations sont contradictoires. La plupart des gens lisent plus vite qu'ils ne peuvent nommer une image. La contradiction entre le mot et l'image perturbe le cerveau.

Tu trouveras ici une série de tests sur quatre types de mémoire. Pour le lien vers ce site, connecte-toi à www.usborne-quicklinks.com/fr

Chaque chose à sa place

1. Étudie la liste d'objets ci-dessous pendant 2 minutes. Ferme le livre et écris le nom de tous ceux dont tu te souviens.

casserole	chaton
peigne	livre
crayon	règle
chaussette	pomme
ampoule	parapluie
voiture	lit

2. Maintenant, imagine que tu ranges les objets de la liste à différents endroits de la maison.

3. Plus l'endroit est saugrenu ou improbable, moins tu auras de mal à te souvenir du nom de l'objet.

4. Avec cette méthode, essaie de te souvenir des objets de la liste de droite. Te souviens-tu de plus d'objets qu'auparavant ?

poisson	plante
ciseaux	chaussure
chaise	poupée
bêche	calendrier
banane	robot
clé	chapeau

Explication

Cette promenade imaginaire dans ta maison aide ton cerveau à établir des liens entre les objets et te permet de mieux t'en souvenir. Les choses inattendues ou amusantes, par exemple le poisson dans les toilettes, rendent la liste encore plus mémorable.

Qui est-ce ?

Choisis des gens que tu ne connais pas.

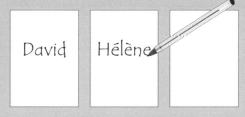

1. Découpe le visage de huit personnes dans des vieux magazines. Colle-les sur du carton et retourne-les.

2. Écris un nom sur le dos de chaque carte. Lis le nom, puis étudie le visage. Essaie d'apprendre les noms.

3. Mélange les cartes. Puis examine de nouveau les visages. Te souviens-tu des noms qui leur correspondent ?

David	Hélène	Louis
peintre	danseuse	footballeur

4. Ensuite, ajoute un passe-temps sous chaque nom. Mélange-les et essaie de t'en souvenir. Est-ce plus facile ?

Explication

Il est difficile de se rappeler des noms isolément. En ajoutant d'autres informations, par exemple les passe-temps, tu aides ton cerveau à former des liens, lesquels te permettent de mieux te souvenir de chaque nom. Étudier les noms une seconde fois facilite également la tâche.

Les liens familiaux

Tous les êtres vivants se composent de cellules. Chacune renferme des gènes qui sont composés d'une substance chimique, l'ADN. Les gènes renferment les informations qui décident des caractéristiques de chaque être vivant. L'ADN, très petit, est invisible, mais ces expériences te permettront d'en voir et de découvrir ce que tu as hérité de ta famille.

Modèle d'une partie de molécule d'ADN. Elle ressemble un peu à une échelle tordue.

De l'ADN visible

1. Hache finement un oignon dans un saladier. Puis verse assez de liquide à vaisselle pour l'enduire sans le couvrir.

2. Rajoute une demi-cuillerée à café de sel et deux à soupe d'eau. Remue doucement, sans faire de mousse ou des bulles.

Matériel spécial

L'alcool à 90° s'achète dans les pharmacies.

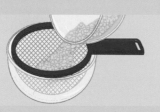

3. Laisse reposer le mélange 10 minutes. Puis remue de nouveau et égoutte le liquide dans un autre saladier avec un tamis.

4. Verse le liquide dans un bocal en verre. Avec une cuiller, enlève la mousse ou les bulles à la surface, s'il y en a.

N'oublie pas de remettre le bouchon sur l'alcool à 90°.

5. Verse doucement l'alcool à 90° le long de la paroi du bocal. L'alcool va former une couche séparée. Ne mélange pas.

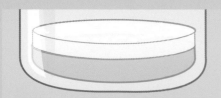

6. Au bout de 20 minutes, une substance blanche filandreuse apparaît dans la couche du haut. C'est l'ADN de l'oignon.

Explication

Le sel et le liquide à vaisselle facilitent la décomposition des cellules de l'oignon et libèrent l'ADN. Celui-ci ne se dissout pas dans les liquides à base d'alcool comme l'alcool à 90°. Il forme les brins blancs solides que tu vois flotter dans celui-ci au-dessus du liquide à vaisselle.

Un arbre généalogique

Tu pourrais utiliser des photos au lieu de dessins.

Pépé   Mémé

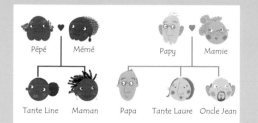

Pépé Mémé   Papy Mamie

Tante Line Maman Papa Tante Laure Oncle Jean

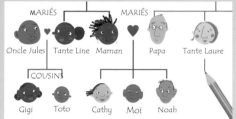

MARIÉS   MARIÉS

Oncle Jules Tante Line Maman Papa Tante Laure

COUSINS

Gigi Toto Cathy Moi Noah

1. Si tu veux faire un arbre généalogique, commence par dessiner tes grands-parents, puis écris leur nom.

2. Dessous, dessine des lignes pour indiquer les enfants de tes grands-parents : ta maman, ton papa, tes tantes et tes oncles.

3. Ensuite, indique leur conjoint. Dessous, mets leurs enfants : toi, tes sœurs, tes frères et tes cousins.

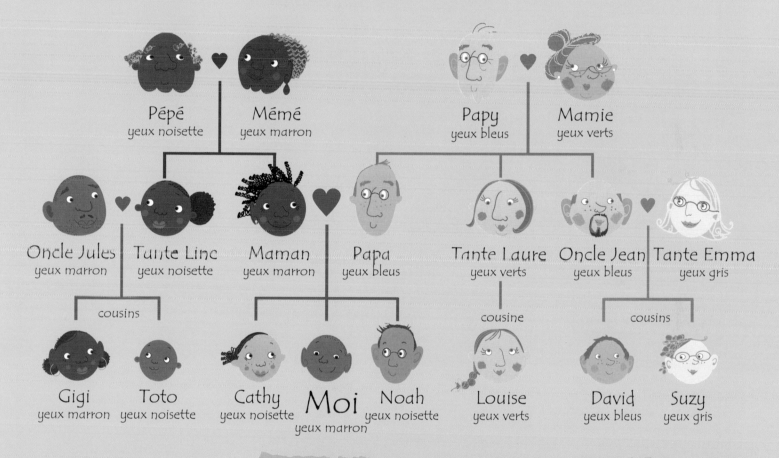

Pépé
yeux noisette

Mémé
yeux marron

Papy
yeux bleus

Mamie
yeux verts

Oncle Jules
yeux marron

Tante Line
yeux noisette

Maman
yeux marron

Papa
yeux bleus

Tante Laure
yeux verts

Oncle Jean
yeux bleus

Tante Emma
yeux gris

cousins

cousine

cousins

Gigi
yeux marron

Toto
yeux noisette

Cathy
yeux noisette

Moi
yeux marron

Noah
yeux noisette

Louise
yeux verts

David
yeux bleus

Suzy
yeux gris

4. Essaie de savoir qui arrive à rouler sa langue ou à faire bouger ses oreilles. Écris-le sur l'arbre. Remarques-tu des tendances ?

5. Puis, ajoute des détails à l'arbre, comme la couleur des yeux, la taille, et la forme du nez ou de la bouche.

Explication

La possibilité de rouler sa langue ou de faire bouger ses oreilles dépend de seulement quelques gènes. Cela veut dire que ces caractéristiques sont sans doute héritées des parents. D'autres caractéristiques, comme la couleur des yeux ou la taille sont plus complexes. Tu pourrais en avoir hérité d'un parent plus lointain.

Quelques vidéos pour en savoir plus sur l'ADN, les lois de l'hérédité, etc. Pour le lien vers ce site, connecte-toi à www.usborne-quicklinks.com/fr

Tes propres expériences

Maintenant que tu as terminé les expériences proposées dans ce livre, tu peux te lancer dans des recherches scientifiques personnelles. Voici comment mettre au point et réaliser une expérience, puis enregistrer tes conclusions. Tu pourras peut-être utiliser tes idées et résultats pour un projet scolaire.

Quel sujet ?

Le plus difficile, c'est souvent de décider ce que tu vas étudier lorsque tu mets au point une expérience. Réfléchis à ce qui t'intéresse. Regarde sur Internet ou bien dans des livres pour trouver des idées.

Mon expérience

Question :

Quel type de balle rebondit le plus haut ?

Réponse :

Je pense que ce sera la balle de tennis.

Matériel :

balle de tennis
ballon de football
balle de golf
règle de 1 m
crayon

La sécurité

1. Ne fais jamais d'expérience avec l'électricité des prises ; ne mets pas d'eau sur les appareils électriques ou les prises.

2. Ne regarde jamais directement le soleil.

3. Fais attention quand tu chauffes des choses ou que tu utilises le four.

4. N'attache pas de ficelle ou de fil en serrant trop fort autour d'une partie de ton corps. Tu risques de te couper la circulation.

5. Remets les bouchons sur les bouteilles quand tu as fini de les utiliser.

6. Ne verse rien dans une bouteille qui contenait quelque chose d'autre avant de l'avoir rincée et d'avoir mis une nouvelle étiquette.

7. Lave-toi les mains après avoir manipulé de la terre, des produits nettoyants ou chimiques.

Question
Écris d'abord la question qui t'a donné l'idée de ton expérience. Cela t'aidera à savoir précisément ce que tu veux apprendre.

Réponse
Quelle sera à ton avis la réponse à ta question ? C'est ce qu'on appelle une prédiction.

Préparation
Écris une liste des choses dont tu auras besoin. Il te faudra peut-être en chercher ou en acheter certaines.

Enregistrement
Comment enregistras-tu ce que tu découvres ? Si possible, prends des mesures avec une règle, un mètre de couturière ou une balance.

Une expérience

En science, il n'y a pas de bonnes ou de mauvaises réponses. La recherche est une activité passionnante et il arrive que l'on découvre des choses auxquelles on ne s'attendait pas.

Parfois, il est nécessaire de prendre des précautions pour éliminer des facteurs qui sont sans rapport mais pourraient influencer le résultat. Ces facteurs sont appelés variables. Pour que l'expérience soit valable, il faut seulement changer une variable à la fois ; les autres doivent rester les mêmes.

Variables possibles

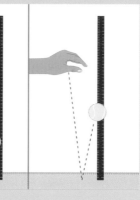

Le type de balle et la surface ne doivent pas changer.

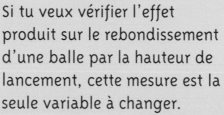

Quand tu testes des balles pour savoir laquelle rebondit le plus haut, la variable que tu changes est le type de balle. Il ne faut pas modifier les autres.

Si tu veux vérifier l'effet produit sur le rebondissement d'une balle par la hauteur de lancement, cette mesure est la seule variable à changer.

Si tu désires vérifier l'effet de différentes surfaces, la variable est alors la surface : la balle et la hauteur de lancement ne doivent pas changer.

Type de balle	Hauteur de rebondissement (cm)
Balle de tennis	
Ballon de football	
Balle de ping-pong	
Balle de golf	

Les conclusions

Tu peux utiliser différentes méthodes pour enregistrer tes conclusions, par exemple des photos, un tableau ou bien un graphique. Tu pourrais même dessiner une affiche illustrant ce que tu as fait et ce que tu as découvert.

Tu pourrais enregistrer tes résultats sur un tableau ou un graphique.

Évaluation

Ta prédiction était-elle correcte ? Note les difficultés et les problèmes que tu as rencontrés. Même si l'expérience ne s'est pas déroulée comme prévu, elle n'est pas pour autant une perte de temps. On obtient souvent de meilleurs résultats en recommençant l'expérience après avoir tiré un enseignement de ses erreurs. Changerais-tu quelque chose si tu la faisais une deuxième fois ?

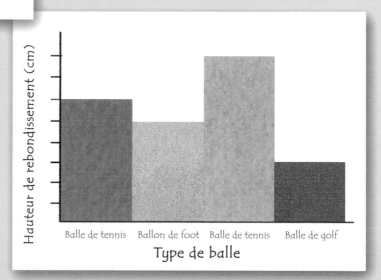

Amuse-toi à surfer sur ce site, où tu trouveras un tas d'idées d'expériences. Pour le lien vers ce site, connecte-toi à **www.usborne-quicklinks.com/fr**

Glossaire

Tu trouveras ici l'explication de mots difficiles ou peu courants utilisés dans cet ouvrage. Les mots en caractères **gras** sont définis ailleurs dans le glossaire.

acier Métal à base de **fer**.

ADN Substance présente dans toutes les **cellules**, dont sont constitués les **gènes**.

aimant Matériau, en général en métal, capable d'attirer le **fer**.

albumine Substance présente dans le blanc d'œuf sous forme de chaînes de **molécules**.

atome L'une des minuscules **particules** dont se composent toutes les choses.

baromètre Instrument servant à mesurer la **pression atmosphérique**.

bicarbonate de soude Poudre blanche utilisée dans la cuisine et dans les bains de bouche.

boussole Instrument utilisé pour s'orienter. Elle est dotée d'une aiguille magnétique qui indique le nord.

buvard Papier épais utilisé pour sécher l'encre.

caractéristique Qualité qui distingue une personne ou une chose, comme la couleur des yeux.

caséine Substance présente dans le lait sous la forme de chaînes de **molécules**.

cellule Petite unité d'un être vivant qui contient des **gènes**.

chambre noire Boîte dotée d'un trou minuscule, par lequel on peut voir une image projetée à l'envers.

champ magnétique Zone entourant un **aimant** dans laquelle la force magnétique exerce son influence.

chrysalide et **cocon** Enveloppes protectrices fabriquées par les chenilles. À l'intérieur, elles se transforment en papillon.

circuit électrique Trajectoire suivie par un courant électrique.

combustible fossile Combustible comme le charbon, le pétrole ou le gaz, qui a mis des millions d'années pour se former et qui est extrait du sol.

conducteur Substance qui laisse passer l'**électricité** ou la chaleur.

cristal Substance solide à la structure géométrique.

cyclone Colonne d'air tourbillonnant parfois produite par un orage.

déformer Changer l'apparence d'un objet en tirant dessus ou en le tordant.

densité Lourdeur d'un objet par rapport à sa taille.

disperser Envoyer dans différentes directions.

dissoudre Réduire une substance en très petits morceaux et les mélanger de manière homogène à un **liquide**.

électricité Déplacement de **particules** qui possèdent une charge électrique.

électricité statique Charge électrique produite en frottant deux types de matériaux l'un contre l'autre.

électroaimant **Aimant** qui fonctionne grâce à l'**électricité** et peut être allumé ou éteint.

équateur Ligne imaginaire qui fait le tour de la Terre à égale distance des pôles.

évaluation Compte rendu visant à juger de la réussite de quelque chose. Les scientifiques font l'évaluation de leurs expériences.

évaporer (s') Passer de l'état **liquide** à celui de **vapeur** ou de **gaz**.

fécule de maïs Farine utilisée pour épaissir les sauces.

fer Métal magnétique.

fibre Fil ou brin long et fin.

force Cause d'un changement de forme, de vitesse ou de direction.

friction **Force** qui tend à ralentir les objets en contact qui se déplacent.

gaz Substance dont la forme et le volume ne sont pas fixes et qui remplit l'espace qu'elle occupe.

gaz carbonique **Gaz** provenant entre autres de la respiration des êtres humains et des animaux. Il sert aussi à la fabrication des boissons gazeuses.

gène Composés d'**ADN**, les gènes déterminent les **caractéristiques** de tous les êtres vivants.

générateur Machine qui transforme l'énergie du mouvement en énergie électrique.

girouette Instrument qui indique la direction du vent.

gouttelette Minuscule goutte d'un liquide.

hériter Acquérir les **caractéristiques** de ses parents ou de ses ancêtres, comme la couleur de leurs yeux.

horizontale Ligne s'étendant de gauche à droite, et non pas de haut en bas.

hydroélectricité Électricité produite au moyen de l'énergie de l'eau en mouvement.

illusion d'optique Quelque chose que ton cerveau croit avoir vu mais qui n'existe pas.

inertie La tendance des objets à rester sur place ou à se déplacer à une vitesse uniforme, à moins qu'une **force** ne s'exerce sur eux.

kaléidoscope Jouet composé d'un tube dont l'intérieur est revêtu de miroirs dans lesquels la lumière se reflète après avoir traversé un support transparent de plusieurs couleurs.

liquide Substance qui a un certain volume mais dont la forme n'est pas fixe. Il peut être versé.

microorganisme Organisme seulement visible au microscope.

molécule Particule minuscule composée d'**atomes**.

nectar Liquide sucré produit par les fleurs et dont se nourrissent les papillons et d'autres insectes.

nerf Fibre fine qui transmet des messages du cerveau au corps et inversement.

oxygène **Gaz transparent** qui se trouve dans l'air et dont les êtres humains et les animaux ont besoin pour respirer.

papier indicateur Papier utilisé pour vérifier si une substance est acide, basique ou bien neutre. Il fonctionne en changeant de couleur.

papilles gustatives Groupe de **cellules** minuscules qui tapissent la langue et permettent de percevoir les saveurs.

particule Morceau de matière si petit qu'il est seulement visible au microscope.

pesanteur Force qui te fait rester à la surface de la Terre et t'empêche de flotter.

pluviomètre Instrument servant à mesurer la quantité de pluie tombée.

point de fusion Température à laquelle un **solide** se transforme en un **liquide**.

pouls Battement produit par le cœur en faisant circuler le sang dans le corps. Le pouls au repos est la vitesse normale de battement avant l'effort.

pression atmosphérique Poids de l'air qui s'exerce sur une zone.

récepteurs Éléments du corps qui permettent de détecter des changements, par exemple de température, et envoient des signaux pour avertir le cerveau.

réfléchir Le rebondissement de la lumière et des sons sur une surface.

renforcer Ajouter quelque chose à une structure pour la rendre plus solide.

réservoir Lac naturel ou artificiel utilisé pour recueillir ou stocker l'eau.

salive **Liquide** produit dans la bouche qui aide à goûter et à avaler les aliments.

solide Substance qui conserve sa forme au lieu de s'étaler comme un **liquide** ou un **gaz**.

stable Dans un état constant.

substances nutritives Substances absorbées par les racines des plantes, qui les nourrissent.

surface portante Nom d'une forme d'aile qui donne à un avion une force ascendante.

tendu État d'un objet, par exemple une ficelle, sur lequel on a tiré pour le rendre droit.

tension superficielle Force qui attire les minuscules **particules** de la surface d'un **liquide** les unes contre les autres.

tourbillon Mouvement tournant et rapide d'un fluide.

transparent Quelque chose qui laisse passer la lumière.

turbine Machine qui tourne sous l'action de l'eau ou de la vapeur et fait fonctionner un **générateur**.

vapeur Autre mot décrivant un **gaz**.

variable Le facteur que tu changes dans une expérience pour déterminer ce qui influence l'objet de l'expérience.

vibration Mouvement très rapide de va-et-vient.

Liste des expériences

Les expériences sont répertoriées par thème.

Index

Les numéros de pages en **caractères gras** indiquent ceux où le mot, ou le sujet, est expliqué en détail.

Remerciements

Tous les efforts ont été faits pour retrouver les propriétaires des copyrights. L'éditeur s'engage à rectifier toute omission éventuelle, s'il en est informé, dans toutes rééditions à venir. L'éditeur tient à remercier les personnes et organisations suivantes pour l'autorisation de reproduire leurs documents (h = haut, m = milieu, sb = bas, g = gauche, d = droite) :

p. 8 © Randy Faris/CORBIS (hg) ; **p. 20** © SPL (hg) ; **p. 46** © Bob Rowan ; Progressive Image/CORBIS (m) ; **pp. 74-75** © SCIMAT/SPL (grande image) ; **p. 80** © OMIKRON/SPL (hg) ; **p. 82** © BSIP, JOUBERT/SPL (hm) ; **pp. 84-85** SUSUMU NISHINAGA/SPL (grande image).

Directrice artistique : Mary Cartwright ; **Imagerie numérique** : Mike Wheatley, Nick Wakeford et John Russell ; **A aussi contribué à la maquette** : Non Figg